ROUX ET ROUSSES
UN ÉCLAT TRÈS PARTICULIER

Xavier Fauche

DÉCOUVERTES GALLIMARD
ART DE VIVRE

Xavier Fauche est roux. Diplômé de Sup de Co, il a été réalisateur et producteur d'émissions pendant dix ans à France-Inter. Auteur de plusieurs romans et essais, notamment *Rouquin, Rouquine,* avec Lucien Rioux (Ramsay 1985), il a écrit de nombreux scénarios de Lucky Luke, Rantanplan et du Marsupilami. A la demande d'André Franquin, il participe à la création de la série de dessins animés Les Tifous.

Au moment de reposer sa plume, l'auteur a une affectueuse pensée pour Lucien Rioux, frère de rousseur.

Dépôt légal : novembre 1997
Numéro d'édition : 84200
ISBN : 2-07-053438-3
Imprimerie Kapp Lahure Jombart, à Evreux

Ni blonds, ni bruns, les roux sont des gens à part. Ils font partie de ces minorités qui se définissent par le regard que les autres portent sur elles. Pourtant, ils ne constituent pas une ethnie et n'ont ni communauté de langue, ni patrimoine culturel commun. Qui sont-ils et combien sont-ils, ces hommes et ces femmes que la seule couleur de leurs cheveux suffit à rendre singuliers?

CHAPITRE PREMIER
LA SINGULARITÉ DES ROUX

Sous l'objectivité du dessin (à gauche) perce l'inquiétude de qui se sent observé; le geste de cette jeune femme semble témoigner d'une pudeur mise à mal et vouloir cacher ce qu'affichent ses mains et son visage. Autre temps, autres mœurs. L'enfant d'aujourd'hui, pétulant et joyeux, pourrait s'exlamer : «Roux, et alors?»

«Entre le jaune et le rouge», «rouge tirant sur le jaune orangé», voire «rouge teinté de noir»... Les dictionnaires ne s'accordent pas pour donner du roux une définition précise. Au XVIIe siècle, Antoine Furetière évoquait, dans son *Dictionnaire universel*, «une couleur jaune, un peu ardente». Plus près de nous, le Petit Larousse et le Robert s'accordent à le dire «d'une couleur orangée» mais le premier ajoute «tirant sur le marron ou sur le rouge», tandis que le second la qualifie simplement de «plus ou moins vive».

La couleur rousse se décline en d'innombrables nuances : blond vénitien, poil-de-carotte, feuille morte, auburn, mordoré, rouille, caramel, ambre, orange, fauve, cuivré, brique, setter irlandais... Certains qualificatifs sont flatteurs, d'autres nettement moins. Ainsi, l'écrivain Mark Twain, qui avait les cheveux roux, ne s'y trompait pas quand il affirmait, non sans ironie : «Au-delà d'un certain niveau social, on n'est plus rouquin, mais auburn.»

Dans la langue grecque, «rouge» se dit *eruthros*, alors que «roux» se dit *pyrrhus*. Les danses pyrrhiques étaient des danses de guerre. En latin *rufus*, dont dérive «roux», est un surnom qui désigne les sujets roux. De nombreux consuls ou empereurs romains ont adjoint Rufus à leur nom patronymique. En français comme en espagnol, en italien ou en portugais, langues d'origine latine, deux mots distincts désignent le rouge et le roux, alors que les langues anglo-saxonnes ne disposent que d'un seul et même terme.

Différentes approches de la rousseur

La découverte de la mélanine, pigment brun foncé qui colore les cheveux, et les progrès de la génétique n'ont pas permis d'évaluer, même approximativement, la cohorte des roux. En 1931, un chercheur étudia leur répartition en Europe. Ses travaux firent apparaître qu'ils constituaient à l'époque plus de 2 % de la population en Suisse, aux Pays-Bas, en Grande-Bretagne, en Irlande, en Islande, au Danemark

ROUX,
rouge & le j
ſur la coule
Poil *roux*,
grand air.

et en Suède. En France, en Belgique, en Allemagne et en Norvège, la proportion de roux était alors comprise entre 1 et 2 %. Cinquante ans plus tard, dans sa thèse de doctorat en médecine *Les Roux : mythes et réalités*, Maryelle Kolopp soutient que la proportion des roux est de 1 % en Ecosse, et tombe à 1 ‰ en France, avec des variations régionales.

Cet écart de un à dix, à un demi-siècle d'intervalle, montre bien qu'au flou sémantique correspond également une grande incertitude quant à l'étendue réelle de la population rousse.

Les recherches en laboratoire ont mis en évidence le rapport entre la production de mélanines, la couleur des cheveux et l'intensité de cette couleur, sans que l'on soit pour autant en mesure d'établir la proportion exacte nécessaire à chaque nuance, tant les mélanines sont multiples et changeantes. Du cuivré à l'auburn en passant par le mordoré, les colorations proposées par les laboratoires de recherche en produits capillaires sont très proches du nuancier naturel (page de gauche, quelques nuances de roux proposées par L'Oréal).

)USSE. adj. Qui eſt de couleur entre le
ne. *Rufus*. C'eſt un rouge pâle tirant
du daim, d'une brique à moitié cuite.
rbe *rouſſe*. Le papier devient *roux* au

L'onomastique serait-elle une voie plus prometteuse pour approcher le monde de la rousseur? Cette science s'intéresse au nom des personnes, et prend en compte les surnoms familiers ou moqueurs. Nous savons ainsi qu'Esaü fut qualifié d'Edom (en hébreu, «le Roux»), Vivaldi de «il Prete rosso»,

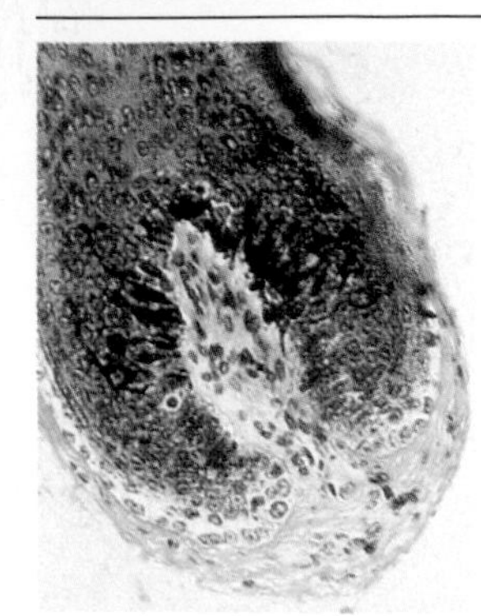

Frédéric Ier de «Barberousse». Erik le Rouge découvrit le Groenland et Cohn-Bendit «le Rouquin» s'illustra en mai 1968. Viennent aussi à l'esprit Julie la Rousse, celle «dont les baisers font oublier...», la princesse Roukhine, chère à Verlaine, et aussi Rosa la Rouge, qui fut modèle et compagne occasionnelle de Toulouse-Lautrec. Par ailleurs, de nombreux patronymes ont gardé vivace jusqu'à nous le souvenir d'ancêtres flamboyants : Roux, Leroux, Rousseau, Rousset, Roussel, Rousselet, Rioux...

Les mélanocytes sont de véritables «usines à couleurs» situées à la racine du cheveu. Dans ce bulbe (à gauche, en coupe longitudinale), on peut voir (en noir) les mélanocytes produire leur pigment

L'apport de la science

La couleur de la peau et de la pilosité des êtres humains dépend du nombre, de la répartition et du type de particules de pigment produites par les mélanocytes et qui s'accumulent dans l'épiderme. Ce pigment est appelé mélanine. On distingue les eumélanines azotées, brunes ou noires, et les phaeomélanines contenant du soufre, jaune ou brun-roux. Quelques pigments présentent des caractéristiques intermédiaires entre les eumélanines et les phaeomélanines. Le pouvoir protecteur de celles-ci, caractérisées par une certaine incapacité à absorber les rayons ultraviolets, est beaucoup plus faible que celui des eumélanines.

Pour simplifier à l'extrême, on peut dire que l'origine des roux, comme de l'ensemble de l'humanité, se situerait en

Afrique de l'Est. En effet, le premier homme, qui était velu, ayant perdu une grande partie de sa fourrure, il lui a fallu s'adapter aux conditions climatiques. La mélanine, et par conséquent la production d'eumélanines, est une des composantes de ce processus extrêmement complexe.

Des anomalies dans l'un des maillons de la chaîne de synthèse mélanique auraient eu pour effet l'apparition d'une mélanine «atypique», et donc des premiers sujets roux. Mais sous le climat tropical, très mal protégés des brûlures du soleil, ces derniers ne pouvaient survivre. On les retrouve sous des cieux plus cléments, dans le massif du Harz, en Europe centrale, où leurs chances de survie étaient plus

Surpris au microscope, en coupe transversale : à gauche, page ci-contre, des cheveux blonds scandinaves; au centre, des châtains aux formes étranges; ci-dessous, des bruns riches en mélanine.

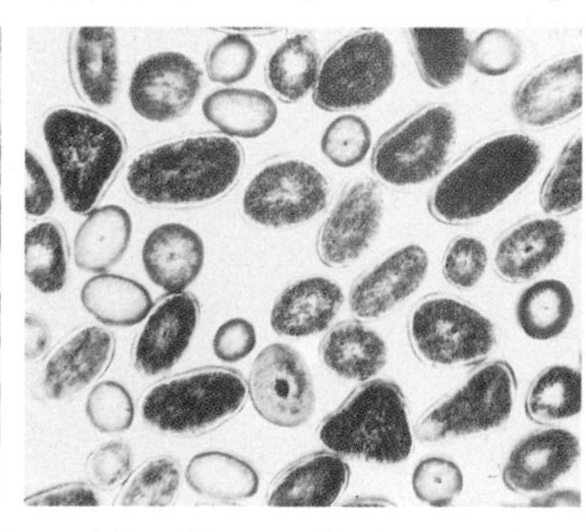

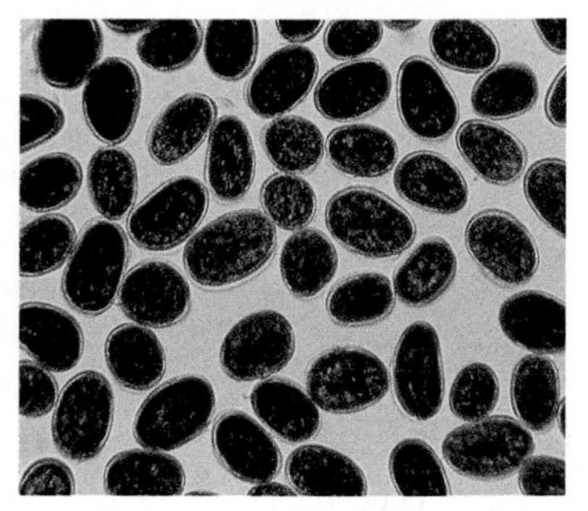

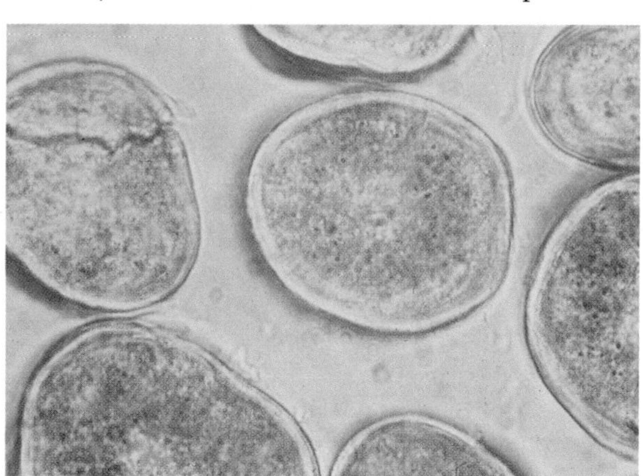

En dehors des couleurs extrêmes visibles sur les cheveux noirs et sur les cheveux roux flamboyants, toutes les nuances de cheveux sont dues à un mélange subtil des deux grandes catégories de mélanines, les «noires», c'est-à-dire les eumélanines, et les «rouges», c'est-à-dire les phaeomélanines. Ci-contre, des cheveux roux, donc riches en pigments rouges de phaeomélanines.

grandes. De là, ils auraient été chassés par les Huns et les Mongols. Au cours de ce nouvel exode, ils auraient essaimé dans les pays du nord. Et continué à fabriquer des phaeomélanines...

Parmi les désagréments mineurs qui affectent les personnes rousses figure une extrême difficulté, voire une totale incapacité à bronzer, et une grande vulnérabilité aux coups de soleil, même après de courtes expositions. Ce que, parlant d'expérience, le cinéaste Woody Allen résume ainsi : «Je n'ai pas ce que vous appelleriez le hâle classique du comédien de théâtre. Vous savez, je suis roux et j'ai la peau claire. Quand je vais à la plage, je ne bronze pas, j'attrape des insolations.»

Les taches de rousseur

Une autre caractéristique des roux sont les taches de rousseur, taches de son ou, plus scientifiquement, éphélides. Elles sont transmises héréditairement. Ce sont des colonies d'eumélanines protectrices, entourées par de la phaeomélanine.

Autrefois considérées comme la marque du diable, elles ont par la suite signalé le mensonge : «Tu as menti au boulanger puisqu'il t'a jeté du son au visage.» Le choix du mot «tache», à consonance péjorative, étonne aujourd'hui pour désigner une particularité à laquelle on reconnaît généralement du charme.

Certes, tout le monde n'y est pas

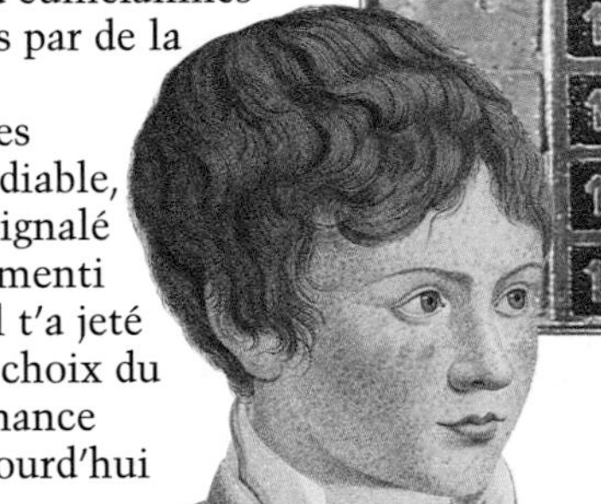

En dermatologie, la couleur de l'épiderme est un élément capital qui divise l'humanité en deux grands groupes : les négroïdes, qui ont une photoprotection parfaite; les mongoloïdes (jaunes) et les caucasiens (blancs) qui ont une photoprotection de qualité variable.

sensible, et assumer cette particularité n'est pas toujours facile. Une héroïne d'Hervé Bazin le rappelle : «Je suis rousse, et j'ai reçu comme un coup de fusil en pleine figure. Disgrâce qui me rend sensible à la moindre allusion. [...] Les «éphélides» ne vous gâchent pas que la peau. A huit ans, sur les bancs de la petite classe, je l'avais déjà remarqué : il est bien moins grave de faire des taches sur son cahier que d'en avoir sur la figure.»

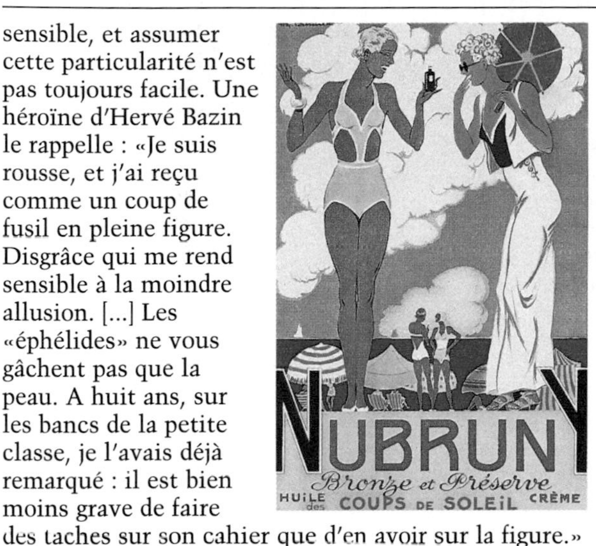

❝Les taches de son ou de rousseur font le désespoir des blondes, des rousses, surtout, et, même, des brunes à peau blanche. Il est des médecins qui attribuent ces taches à la présence d'une certaine quantité de fer dans le sang. Il est prouvé que l'abus des ferrugineux est souvent la cause déterminante des lentilles jaunes qui couvrent plus d'un beau front. D'autres disent que les taches de rousseur indiquent une constitution délicate et une circulation faible et lente.❞

La baronne Staffe,
Le Cabinet de toilette,
1891

La symbolique du cheveu

La chevelure a toujours été investie d'une forte charge symbolique. Dans de nombreuses civilisations, la première coupe est un acte fondamental de «passage» rituel. En Grèce, les adolescents se rendent à Delphes pour offrir leurs cheveux à Apollon. L'Eglise chrétienne a, dès les premiers temps de son existence, imposé la tonsure au clergé en signe de renoncement et d'humilité.

Couper les cheveux d'autrui est un acte castrateur. Pour venir à bout de la puissance de Samson, Dalila lui coupe les cheveux. Vainqueur en Gaule, César exige des Gaulois qu'ils coupent leurs longues mèches. Les Indiens d'Amérique du Nord scalpent leurs ennemis. Chez les Chinois, la natte était le signe de la respectabilité; tirer cette natte constituait une insulte, la couper un crime. Autrefois, les musulmans portaient au sommet de la tête une mèche, par laquelle Mahomet les attirait jusqu'à lui. Les cheveux sont donc chargés de différentes significations culturelles et religieuses. En tant que caractère sexuel secondaire, ils révèlent l'énergie vitale de l'individu. Avec l'au-delà, ils peuvent constituer un trait d'union. Par leur sacrifice, ils expriment la déférence.

L'association de deux couleurs

A la symbolique du cheveu s'ajoutent les ambivalences symboliques des couleurs, en l'occurrence le jaune et le rouge, les deux éléments de l'orangé – le roux des cheveux. Le jaune est la couleur du soleil, qui permet à la vie de se perpétuer et de donner des fruits dans la jubilation de l'été. L'ardeur des rayons n'a qu'un temps : l'automne arrive bientôt et l'hiver lui succède. La couleur est donc implicitement annonciatrice de mort, laquelle correspond, sur le plan social, au bannissement. Le concile de Latran, en 1215, exigea des Juifs le port d'une rouelle jaune sur le vêtement. Dans un couple

Vuillard était d'un blond roux. Il était aussi et surtout un coloriste hors pair, sachant jouer des contrastes et des symboles de la couleur, dont témoigne magnifiquement cet *Autoportrait octogonal* (1890) : cheveux jaunes, visage rose, barbe orange et une tache grise qui s'étend sur le visage pour marquer l'ombre.

désuni, c'est la couleur de l'époux trahi et dans le syndicalisme, celle de l'ouvrier qui se désolidarise de sa classe d'origine.

Le rouge est la couleur du sang que le cœur envoie dans le corps pour le vivifier. Les qualités associées au sang sont la passion, le courage et la puissance. Le rouge est donc naturellement le symbole du pouvoir. La pourpre était à Rome l'emblème des généraux et des patriciens; elle devint celle des empereurs. Les princes de l'Eglise catholique l'adoptèrent aussi, tout comme Méphistophélès, prince de l'Enfer. Mais, attribut de Mars, dieu de la Guerre, le rouge est également la couleur du sang versé, de la cruauté et de la colère.

Le roux, multiplicateur de symboles

Quand le jaune et le rouge se mêlent, le métissage peut s'enrichir des caractéristiques propres à chacun des constituants. Ainsi, quand un jaune-soleil rencontre un rouge-passion, le résultat est attirant, sensuel et séduisant.

Contrairement à la plupart des autres espèces vivantes, qui distinguent des formes en noir et blanc, l'homme perçoit le monde en couleurs. Cette particularité n'est possible que par l'association simultanée de la lumière, de l'œil humain et du cerveau. En effet, si nous regardons bien les couleurs avec notre œil, c'est grâce à notre cerveau que nous les voyons. Les chercheurs localisent dans le cortex occipital le centre de traitement des informations relatives à la couleur, mais ils ignorent encore avec précision les processus de transmission, d'analyse et de traitement des données.

C'est assurément le cas de la rousseur peinte par les préraphaélites, de celle des portraits de Norman Rockwell ou de la jolie rousse que décrit Apollinaire : «Ses cheveux sont d'or on dirait / Un bel éclair qui durerait / Ou ces flammes qui se pavanent.»

Couleur d'extrêmes, l'image de la rousseur est hétérogène. Les héros du film *Dune* (en bas) incarnent le stéréotype des «mauvais» roux, teigneux et bagarreurs, tandis que *Le Trompettiste* (à gauche) de Norman Rockwell évoque le «bon» roux.

Lorsqu'un «mauvais» jaune et un «mauvais» rouge sont associés, la couleur obtenue n'est plus celle d'aimables flammes, mais celle du feu impur, qui brûle sous la terre, l'Enfer. On parle alors de couleur chthonienne, en référence à Chthonos, qui était à la fois le nom donné à la Terre, mère des Titans, et le séjour des morts et des vivants.

Rapportée aux hommes, cette couleur représente la violence et le mal, mais aussi «les délires de la luxure, la passion

du désir, la chaleur d'en-bas, qui consument l'être physique et spirituel».

Le romancier anglais Cronin parle de cheveux «irrémédiablement roux», comme si la rousseur constituait, en soi, une maladie à laquelle le remède fait défaut. Les cheveux roux signalent par ailleurs un excès d'énergie vitale. La rousseur est souvent perçue comme une provocation, et les roux comme des personnes agressives, généralement robustes et dotées d'un fort tempérament sexuel.

Des êtres réputés excessifs

De fait, l'histoire garde de nombreuses traces de tels rouquins. Les gladiateurs cimbres et teutons, que les spectateurs romains identifiaient grâce à leur crinière

y all know what I am...

rousse, étaient très appréciés pour leur vaillance. Obélix le Gaulois, tombé dans sa tendre enfance dans un chaudron de potion magique, perpétue de nos jours la mémoire de ces valeureux patriotes qui résistèrent à l'envahisseur.

Attila, si l'on en croit son biographe, avait le cheveu «volontairement teinté de roux», vraisemblablement pour effrayer ses adversaires. Le visage de Richard Cœur de Lion était «encadré d'une abondante chevelure rousse comme sa barbe». Parmi l'éblouissante galerie de portraits d'hommes roux réputés pour leur bravoure, citons encore Pyrrhus le bien nommé, Roland, Guillaume le Conquérant, Duguesclin, ou Henri IV... Et des personnalités au caractère humaniste sensiblement moins affirmé, tels Cromwell, Robespierre, ou le général Custer, responsable du massacre de Little Big Horn...

Rita Hayworth connut des débuts incertains, jusqu'au jour où son imprésario décida que ses cheveux, qui étaient passés par le noir corbeau puis par le brun foncé, devaient finalement être d'un auburn éclatant. Le résultat fut fulgurant.

Et les militaires rendirent hommage à la sexualité explosive que laissait supposer sa crinière de lionne, en baptisant du nom de Gilda la bombe atomique larguée sur l'atoll de Bikini. Femme plutôt timide et réservée, Rita Hayworth ne se retrouvait pas dans les débordements de passion que son personnage suscitait. Elle passa le reste de sa vie à lutter contre l'image de Gilda, à laquelle on ne cessa de l'identifier : «Les homme se couchent avec Gilda et se réveillent avec moi», avait-elle coutume de dire. Orson Welles, le deuxième de ses cinq maris, avait bien compris la question d'«identité capillaire» qui minait Rita : il exigea qu'elle coupe ses longues boucles et qu'elle teigne en blond ses cheveux roux...

Venu d'ailleurs, venu de nulle part

Loi de la génétique oblige, on peut naître roux de parents qui ne le sont pas. Certains gènes ont en effet la faculté de se manifester ou non, de façon aléatoire, d'une génération à l'autre. De nombreux témoignages montrent que la reconnaissance par ses parents d'un enfant roux peut dans ce cas être douloureuse. Et qu'elle n'a parfois jamais lieu. La styliste Sonia Rykiel raconte qu'en l'allaitant sa mère ne cessait de lui répéter : «Pourquoi tu es rousse? Pourquoi tu es rousse?» Et l'écrivain Jacques Lanzmann, évoquant sa «tignasse rouge», parle «d'une marque indélébile, d'un vice caché qui déshonorait la famille». Il ajoute, comme si la rousseur était, dans tous les sens du terme, un défaut : «Personne, jusque-là n'avait manqué de pigmentation.»

La reconnaissance de l'enfant roux peut alors être difficile également sur un plan social. Le bon sens populaire ne dit-il pas que les chats ne peuvent avoir des chiens? Une formule explique l'anomalie : «C'est le fils du facteur!» La mère devient une coupable, le père un mari «trompé» et l'enfant la preuve vivante de la forfaiture, celui par qui le scandale arrive.

«Fils du facteur», autrement dit : venu d'ailleurs, sans filiation, donc de nulle part, sans appartenance, horsain. De nombreux peintres comme Van Gogh, Egon Schiele, Matisse, ou Modigliani ont bien exprimé cet indicible malaise existentiel au travers d'œuvres mettant en scène des modèles roux : visages statiques, attitudes figées, regards absents.

Jules Renard rapporte un échange qu'il eut avec la rousse Sarah Bernhardt : «A la première ligne que j'aie lue [de vous], me dit-elle, j'ai pensé : Cet homme-là doit être roux. Pourtant, les roux sont méchants. D'ailleurs, vous êtes plutôt blond. – J'étais roux, franchement roux, et méchant, madame, mais à mesure que la bonté me venait par la raison, mon poil passa au blond» (*Journal*, 2 janvier 1896).

«Je pense qu'il est laid parce qu'on me l'a dit»

Souffre-douleur dans sa famille, tel Poil de Carotte, simplet comme Jean de Florette, manquant d'assurance et vulnérable au regard d'autrui, le roux a une forte tendance au repli sur soi. «N'oublie pas que je suis né pour être un mélancolique», écrit Vincent Van Gogh à son frère Théo.

Personnage principal du roman de Jean-Paul Sartre, *La Nausée*, Antoine Roquentin est taciturne, solitaire, pessimiste et roux. Son autoportrait est accablant : «Je n'y comprends rien, à ce visage. Ceux des autres ont un sens. Pas le mien. Je ne peux même pas décider s'il est beau ou laid. Je pense qu'il est laid, parce qu'on me l'a dit.» Il est déjà clair que Roquentin ne s'aime pas. Est-il vraiment crédible quand il ajoute que la couleur de ses cheveux le sauve de la médiocrité? «Il y a quand même une chose qui fait plaisir à voir, [...] c'est cette belle flamme qui dore mon crâne, ce sont mes cheveux. Ça c'est agréable à regarder. C'est une couleur nette au moins : je suis content d'être roux.»

Déplorant une série d'insuccès auprès de jeunes Parisiennes, un personnage de Somerset Maugham s'interroge : «Pourquoi ne veulent-elles rien savoir? Parce que j'écorche le français ou à cause de mes cheveux roux?»

En s'attifant traditionnellement d'une perruque rousse et hirsute, l'auguste de cirque affirme sa marginalité. Par le choix de cette apparence étrange, il se tient à l'écart des modes et des signes socioculturels, et déclenche les rires par son comportement nigaud ou distrait (ci-dessous, Annie Fratellini). Pages suivantes, deux portraits où semble se lire la solitude des roux.

KAIRUAN
VON
WILHELM HAUSENSTEIN

modigliani

La rousseur est caractérisée, dans nos sociétés occidentales, par une singulière ambivalence. Au cours des siècles, en fonction des différentes cultures et des milieux où ils vivaient, roux et rousses furent tour à tour, parfois simultanément, admirés et craints, aimés et honnis, désirés et repoussés. Pourtant, certains ne connurent de ces situations que le versant le plus désagréable.

CHAPITRE II
L'OPPROBRE

Couleur du feu, le roux évoque l'ardeur et le désir exacerbé. Roux et rousses peuvent être à la fois recherchés et redoutés pour les fantasmes qu'ils suscitent. Sur l'affiche du film japonais *L'Empire de la passion*, Roland Topor traduit graphiquement l'explosion du désir (ci-contre). A gauche, *Metabolismus*, d'Edvard Munch.

Seth Typhon, assassin de son frère

Deux personnages mythiques, Seth Typhon et Esaü, eurent un comportement qui interféra dans l'accomplissement de la volonté divine et les désigna à l'opprobre général.

Dans son *Traité d'Isis et d'Osiris,* Plutarque, qui vécut au Ier siècle de notre ère, rapporte qu'Osiris initia les Egyptiens à l'agriculture, leur apprit à fabriquer des outils et à presser le raisin pour obtenir du vin. Sa sœur-épouse Isis enseigna l'art de faire du pain. Ensemble, ils initièrent la paix là où la guerre faisait rage et édifièrent des lieux de culte.

Osiris avait un frère, Seth Typhon, qui était impie, violent et... roux. Jaloux du pouvoir d'Osiris, il lui tendit un piège et l'enferma dans un coffre qui fut jeté dans le Nil. Le coffre dériva jusqu'à Byblos, où on le retrouva. Aussitôt Seth Typhon s'y précipita et découpa le corps de son frère en quatorze morceaux qu'il dispersa, espérant de cette façon supprimer toute trace de crime. Patiemment, Isis regroupa les fragments épars, et Osiris ressuscita. Ainsi, Osiris, qui avait donné aux hommes la civilisation, leur

Surnommé Edom («le Roux» en hébreu), Esaü est ici représenté alors qu'il échange avec son frère son droit d'aînesse contre un plat de lentilles, se détournant ainsi du chemin que Dieu lui avait tracé.

“Et quand l'Agneau eut ouvert le deuxième sceau, j'entendis le second animal qui disait : «Viens!» Il en sortit un autre cheval qui était roux. Celui qui le montait reçut le pouvoir d'ôter la paix de la terre, afin que les hommes s'égorgeassent les uns les autres, et on lui donna une grande épée.”

Apocalypse de saint Jean, ch. VII, v. 3-4

montrait désormais le chemin de l'immortalité, et rejoignait les dieux. Quant à Seth Typhon, il est au contraire, selon Plutarque, «le principe de la chaleur et du feu, la cause de la sécheresse, l'ennemi de l'humidité. Et comme ils croient qu'il était roux et pâle, ils n'aiment pas à voir et à fréquenter les personnes de cette couleur». Certains, qui craignaient ses accès de violence, lui vouèrent un culte pour apaiser ses colères. Les autres «le traitent avec mépris, ils l'insultent dans leur têtes, ils outragent les hommes roux qu'ils rencontrent et jettent un âne dans un précipice [parce que] les ânes sont de cette couleur».

On peut lire dans le *Dictionnaire infernal*, publié à la fin du XIXe siècle, comment on expliquait autrefois l'origine des barbes rousses : «Lorsque Moïse surprit les Israélites adorant le veau d'or, il le fit mettre en poudre, mêla cette poudre dans de l'eau et la fit boire au peuple. L'or s'arrêta sur les barbes de ceux qui avaient adoré l'idole et les fit reconnaître; car toujours depuis ils eurent la barbe dorée.»

Esaü : celui que Dieu a haï

Un autre mythe fondateur de l'ostracisme contre les roux met également en scène deux frères, des jumeaux, Esaü et Jacob. Né le premier, Esaü bénéficiait des prérogatives attachées au droit d'aînesse. Le récit de la Genèse nous dit qu'il est «roux, tout velu comme une fourrure de bête», robuste, vigoureux, et même violent, au contraire de Jacob qui est un «enfant raisonnable». Revenant un jour épuisé et affamé de la chasse, il céda son droit d'aînesse à son frère contre du brouet de lentilles. Et c'est Jacob que le vieil Isaac, abusé, bénira au nom de Dieu, le prenant pour son premier-né. La bénédiction exprime la conformité de la volonté de l'homme à celle de Dieu. Esaü paiera au prix fort sa folle désinvolture, car Isaac ne pourra que lui promettre souffrance et larmes. Dans ses Lettres aux Hébreux et aux Romains, l'apôtre Paul qualifiera Esaü de «profanateur» et se servira de lui pour symboliser ceux que Dieu n'a pas élu : «J'ai aimé Jacob et j'ai haï Esaü.»

Selon l'Apocalypse de Jean, du deuxième sceau sortit un cheval roux : «Celui qui

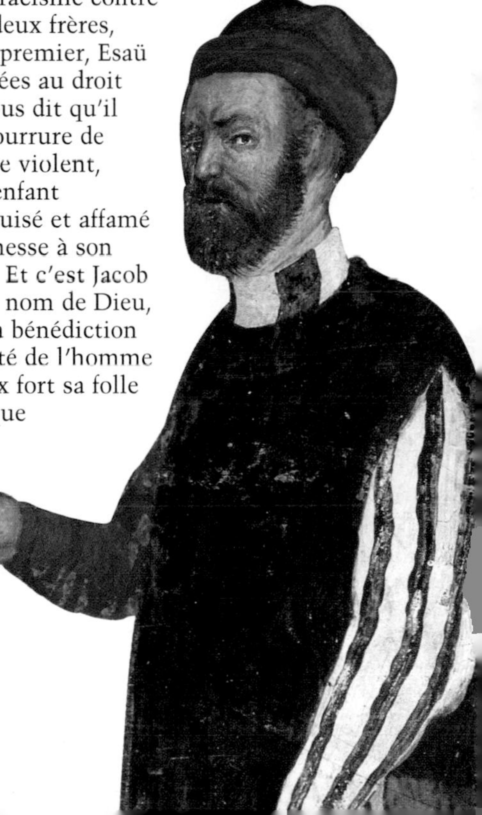

le montait reçut le pouvoir d'ôter la paix de la terre» L'association entre un cheval fougueux, qui incarne les instincts débridés, et la rousseur, qui représente en l'occurrence les forces chthoniennes, se retrouve à deux reprises dans le Livre de Zacharie. Elle traduit la violence aveugle qui engendre mort et désolation.

Une violence paroxystique

Il est admis que les roux sont emportés, sanguinaires, exaltés. On trouve l'affirmation de ces traits de caractères dans un texte du XIIIe siècle, La *Geste des Narbonnais* : «C'est bien vrai ce que j'ai entendu dire, qu'il est impossible de trouver un roux pacifique. Ils sont tous violents : j'en ai la preuve effective.»

L'iconographie relaie complaisamment ces stéréotypes pour dépeindre le caractère des personnages par l'intermédiaire de leur chevelure. Se sont donc naturellement retrouvés roux, ou rousses : Mars, dieu de la Guerre, Judith qui trancha la gorge d'Holopherne, ou encore les Danaïdes qui tuèrent leurs époux la nuit de leurs noces.

Pour le rabbin Josy Eisenberg, l'association entre rousseur et violence n'est pas fortuite. En effet, en hébreu, le mot «roux», *edom,* vient d'un terme qui désigne «à la fois la couleur rouge, *adom,* et *dam,* le sang».

Pourtant, au terme de sa thèse, *Les Roux : mythes et réalités,* Maryelle Kolopp conclut que, sur un plan médical, le caractère violent attribué aux roux appartient résolument au domaine des mythes. Elle relève cependant, non sans une pointe d'humour, l'indication attachée à deux remèdes homéopathiques : *lachesis,* «venin de serpent que l'on donne aux femmes qui présentent un tempérament colérique,

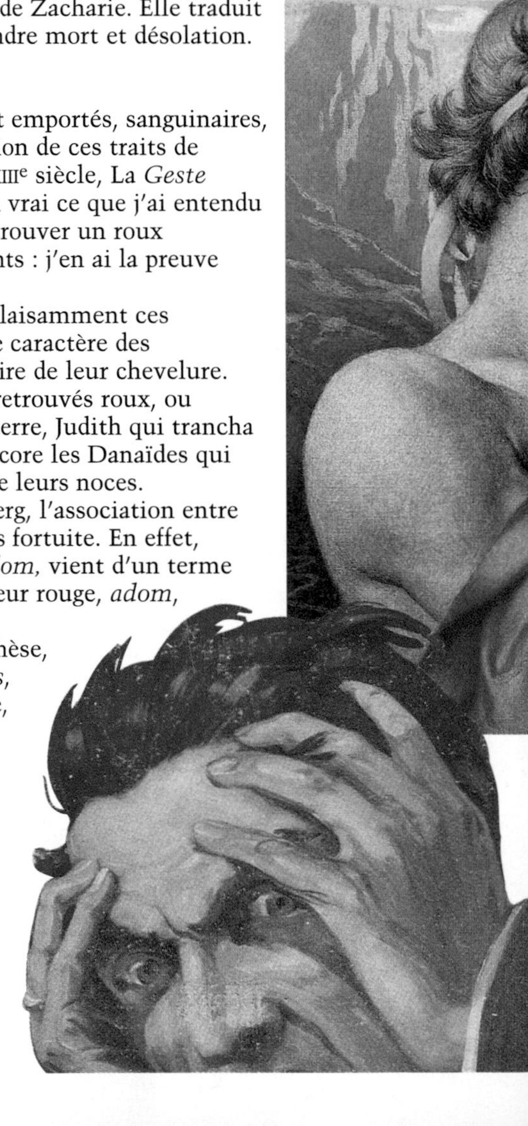

des éphélides et une chevelure rousse» , et *phosphorus*, «préparation adaptée aux sujets de tempérament sanguinaire, à la peau claire, aux cheveux blonds ou roux, aux longs cils, à la nature très sensible et intuitive».

Dans ce tableau représentant Œdipe et le Sphinx, le peintre François Emile Ehrmann, au siècle dernier, a utilisé la rousseur pour souligner la cruauté du monstre qui, à l'entrée de Thèbes, dévorait quiconque ne pouvait apporter de réponse à ses énigmes.

La fonction de bouc émissaire

En ethnologie, on désigne sous l'appellation de «bouc émissaire» un individu ou un groupe sur lequel se fixent les attaques d'autres membres de la société. Par extension, le bouc émissaire est celui qui catalyse les peurs ou les angoisses.

A diverses reprises, au cours de l'histoire, les roux ont joué ce rôle. En Egypte ancienne, pour venger Osiris, mais également pour attirer ses bonnes grâces, puisqu'il incarnait l'esprit du blé, on répandait sur les semis les cendres d'hommes roux, préalablement brûlés, dans l'espoir de récolter des épis bien dorés.

La coutume fut d'une certaine façon reprise à Rome, en utilisant des cendres, non plus d'humains, mais de petits chiens à poil roux. De même, les Bataks de Sumatra offrent un cheval roux, ou un buffle, en sacrifice public, pour purifier le pays et obtenir la faveur des dieux.

Au Moyen Age, dans l'Europe entière, certains animaux payèrent un lourd tribut en raison de la couleur rousse de leurs poils. Mardi-Gras, Pâques ou la Saint-Jean étaient autant d'occasion de sacrifier, dans des feux de joie fédérateurs, chats, renards et autres écureuils. Ces fêtes païennes reprenaient pour une part les rituels anciens destinés à flatter les divinités de la végétation. Elles constituaient aussi une catharsis, au cours de laquelle on exorcisait le Mal dans le feu purificateur.

Les stéréotypes antiféminins eurent la vie longue jusqu'au XVIIe siècle. La femme faisait peur. Sa physiologie était mal connue des médecins et les théologiens voyaient en elle un être inconstant qu'il fallait surveiller. Toute étrangeté physique était sujette à interprétation, la rousseur et ses «taches» constituant une marque des plus diaboliques.

Les taches de rousseur, marques des sorciers

Durant la longue période de l'Inquisition, qui voit son apogée au XVIIe siècle, les roux étaient suspectés d'entretenir commerce avec le diable. On en donnait pour preuve que leurs cheveux avaient pris la couleur des flammes de l'Enfer, dont ils s'étaient trop approchés. En 1611, Jacques Fontaine, conseiller et médecin du Roi, publie un ouvrage traitant *Des marques de sorciers et de la réelle possession que le diable prend sur le corps des hommes*. Ephélides et grains de beauté figurent parmi les signes incontestables de Satan : les femmes qui en portaient avaient eu des relations sexuelles avec le diable. Leur ponctuation

épidermique les désignait comme sorcières. On estime qu'à la suite de l'Inquisition ces marques conduisirent près de 20 000 femmes au bûcher, sur une période d'un siècle et demi.

Au début de notre siècle, le psychanalyste Georg Groddeck, évoquant l'inquiétante étrangeté de la rousseur pour le reste de la gent féminine, parlera de cette «croyance aux jeunes et belles sorcières, ces êtres sans foi ni loi, à la rousse chevelure, qui naissent de la haine des mères vieillissantes pour ces filles ardentes, passionnées, tout récemment réglées, c'est-à-dire aux cheveux rouges».

La rousseur, signe d'opprobre ou de déshonneur

On voit ainsi quelles voies royales Seth Typhon et Esaü ouvrirent dans l'inconscient collectif. Ces mythes y eurent un tel écho que, curieusement, l'intérêt dépassa même le cadre des vrais roux, et la rousseur fut volontiers attribuée par la suite, en signe d'opprobre et de déshonneur, à ceux dont on voulait fustiger la violence, la jalousie ou la fourberie.

La tradition, relayée par de nombreuses représentations iconographiques, désigna souvent comme roux Caïn, premier criminel de l'humanité,

« J'étais rousse. Rousse comme il n'est pas permis de l'être. Rousse sang. Pas d'une couleur orangée très vive mais d'un rouge flamboyant, un rouge rubis, un rouge hurlant. J'étais extrême, couleur révolution. Rousse rouge, incandescente, chauffée au rouge, enflammée, écarlate, feu. [...] Je vivais double. L'intérieur, ma chair, mes os de petite fille, et l'extérieur vermillon ou carmin. Je ne pouvais les emmêler, j'étais en deux parties. J'aurais voulu me relier, me plaquer, mais c'était impossible. Si j'étais calme à l'intérieur, la provocation venait de l'extérieur, de ce rouge collé à ma peau, à ma tête, à ma vie. [...] Le rouge de mes cheveux, la tache sur ma tête. Je ne pouvais pas me cacher, j'étais toujours découverte. J'éclaboussais comme le soleil, on me voyait de partout. »

Sonia Rykiel,
Et je la voudrais nue

Ce qui, hier, était voué à l'opprobre, est aujourd'hui détourné par la mode. Qui sait si, en affichant sa rousseur, la femme ne s'approprie pas quelque chose de la séduction du diable?

ou Judas, qui vendit le Christ pour trente deniers. Au XVIIe siècle, dans son *Dictionnaire*, Furetière écrit à propos de la couleur rousse qu'elle est «aussi appelée poil de Judas», reprenant à son compte ce qui semble admis de longue date. Pourtant aucun texte ne mentionne le fait que Judas était roux.

Bien d'autres encore figurent au tableau du déshonneur, parmi lesquels Salomé, dont les danses lascives et voluptueuses firent perdre la tête à saint Jean-Baptiste...

A Hérode qui, envoûté par la danse qu'elle venait d'exécuter, avait promis de lui donner ce qu'elle demanderait, Salomé réclama la tête de Jean-Baptiste (ci-dessous).

Malodorants et laids...

Parmi les nombreuses spécificités négatives attribuées aux roux, l'odeur tient une place de choix. La transpiration du roux – et plus encore de la rousse – est depuis toujours réputée déplaisante, ainsi que l'atteste cette comptine : «Le rousseau bien fâché / S'en vint à la rousselle, / Et luy trouva caché / Un bouc sous son aisselle.»

L'abbé Thiers, quant à lui, affirme, dans son *Histoire des perruques*, que ces émanations sentent le «gousset». L'écrivain du XIXe siècle Henri Murger, auteur des *Scènes de la vie de Bohème*, les

Archétype du traître, Judas Iscariot (le troisième à partir de la droite) apparaît dans le Nouveau Testament comme «celui qui livra Jésus». Pour traduire sa félonie, on le représente roux.

qualifie d'âcres; d'autres pensent qu'elles évoquent les fauves. Pourtant, certains en sont friands; ainsi, Aristide Bruant quand il dresse le portrait de Nini-Peau-d'Chien : «Elle a la peau douce, / Aux taches de son, / A l'odeur de rousse / Qui donne le frisson»...

Prenant le contre-pied du code associant rousseur et trahison, James Ensor exprime, avec ce Christ roux, l'humiliation et le rejet.

Bien sûr, tous les roux ne peuvent prétendre à la beauté. Mais la laideur physique prêtée à nombre d'entre eux dans la littérature est symptomatique : elle permet d'exprimer un sentiment de répulsion, tout en conservant un semblant d'impartialité. On trouve ainsi, sous la plume de Roger Martin du Gard : «Elle détestait les roux, et ce brun-là avait un aspect de rouquin.» Dans *Claudine à l'école*, le portrait que Colette brosse de l'institutrice exprime également l'antipathie : «J'augure mal de cette rousse bien faite, la taille et les hanches rondes, mais d'une laideur flagrante, la figure bouffie et toujours enflammée, le nez un peu camard, entre deux petits yeux noirs et soupçonneux.»

Enfin, dans *Notre-Dame de Paris*, décrivant Quasimodo, rejeton abandonné d'une famille de bohémiens, Victor Hugo écrit : «Ce n'était pas un nouveau-né que ce "petit monstre". Une grosse tête hérissée de cheveux roux.» Pour incarner les rôles respectifs de la belle et de la bête, il est significatif que Victor Hugo ait choisi d'opposer à la séduisante Esméralda un personnage

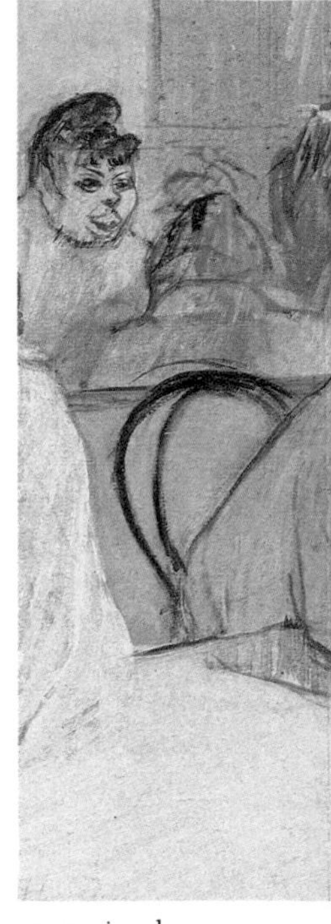

Quasimodo et son antithèse, la belle Esméralda (ci-contre), symbolisent l'alliance du grotesque et du sublime. Pourtant, ils ont en commun d'être des individus que la société réprouve; paradoxalement, à eux deux, ils représentent, les forces du Bien.

“On allait là, chaque soir, vers 11 heures, comme au café, simplement. [...] Et l'on prenait sa chartreuse en lutinant quelque peu les filles.”

Guy de Maupassant, *La Maison Tellier*

Chanteuse de caf'conc', Yvette Guilbert (ci-dessous) ravissait son public tant par la qualité de sa diction que par les doubles sens grivois de ses chansons. La reine d'Angleterre, épouse du roi Edouard VII, lui aurait fait ce compliment : «Vous avez une façon "très grande dame" de dire des choses piquantes.

cumulant des handicaps tels que borgne, bossu, boiteux... et roux! Victor Hugo le souligne peu délicatement : «Quasimodo est un esprit atrophié dans un corps manqué.»

Couleur prostitution

Saint Louis, dit-on, tolérait que certaines femmes fassent commerce de leur corps, à condition qu'elles soient nettement différenciées des femmes honnêtes en se teignant en roux. Un édit datant de l'année 1254 codifie cette obligation. Evoquant «le feu de l'Enfer, les forces débridées et les délires de la luxure», cette couleur signalait naturellement la sensualité vénale et l'érotisme racoleur.

Au XIXe siècle, de multiples descriptions de courtisanes assurent la pérennité de l'archétype. A titre d'exemple, Guy de Maupassant évoque Flora, pensionnaire de la Maison Tellier «aux cheveux carotte»; Emile Zola campe Anna Coupeau, dite Nana, «au duvet de rousse».

De nombreux peintres bénéficiant des libertés conquises par les impressionnistes font aux prostituées les honneurs de leur pinceau. Parmi celles-ci figure la fameuse Rosa la Rouge, immortalisée par Toulouse-Lautrec, pour qui elle fut tout à la fois égérie, partenaire amoureuse imaginative, compagne de son infortune physique et que sa rousseur seule semblait pouvoir autoriser à tant de privilèges. D'autres rousses connurent la gloire d'inspirer les paroles d'une chanson, notamment Nini-Peau-d'Chien, «si bonne et si gentille», et Julie la Rousse, prompte à soulager «les ardeurs extra-républicaines». La veine misérabiliste de la poésie connaît alors son heure de gloire, la femme rousse issue des bas-fonds y est

«Ce qu'elle a l'air carne! Si on pouvait l'avoir comme modèle, ce serait merveilleux.» Fasciné par la chevelure cuivrée de Carmen Gaudin, qui chantait sous le nom de Rosa la Rouge (ci-contre), Toulouse-Lautrec a laissé de la jeune femme plusieurs portraits.

D'après les exégètes, le nom de Marie-Madeleine (à gauche et à droite, une sculpture du XVIe siècle) peut être attribué à trois femmes qui ont approché le Christ : la «pécheresse», Marie de Béthanie et Marie de Magdala. L'imagerie populaire les réunit volontiers dans le portrait d'une pécheresse repentie qui suivit le Christ dans sa vie publique, assista à sa mort et apprit aux apôtres sa résurrection. Marie-Madeleine est, en général, représentée avec de longs cheveux roux. Par leur abondance et leur couleur, ils font symboliquement mention de son passé sulfureux. Par leur longueur, ils rappellent que Marie-Madeleine baigna les pieds du Christ de ses larmes, et les essuya avec ses cheveux.
Pages suivantes, les représentations provocantes du Viennois Gustav Klimt : à gauche, *Les Trois Péchés : la débauche, la luxure et l'intempérance*; à droite, *Danaé* (l'amour de l'or).

“C’est Rosa [...] / j’sais pas d’où qu’a vient. / Alle a l’poil roux, / eun’têt’ de chien. [...] / Quand a’ passe on dit / v’la la Rouge, A Montrouge.”
A. Bruant

à l’honneur. Elle s’illustre avec Baudelaire («A une mendiante rousse»), ou avec Verlaine («A la princesse Roukhine»). D’autres s’y essaient aussi, tel Jean Ajalbert, auteur de romans naturalistes, dans un poème justement intitulé «La Rousse» : «Elle s’épanouit très grasse, au fond d’un bouge, / Dans la splendeur de sa colossale beauté, / Toute nue étalant sur un canapé rouge / Son large flanc de rousse au derme velouté".

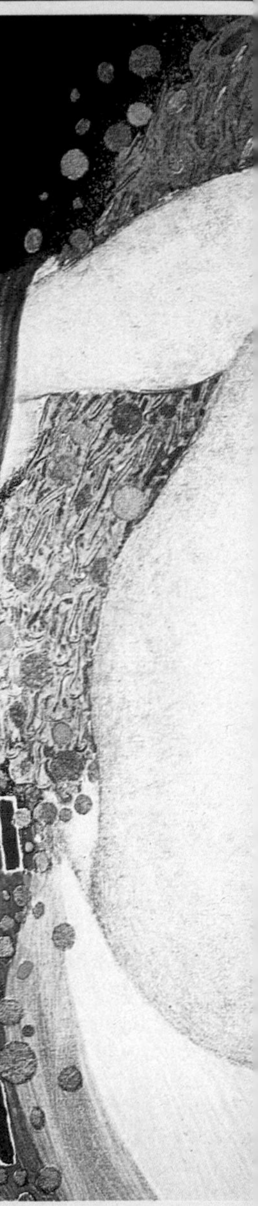

“Elle vient et m’attire ainsi
qu’un fer l’aimant
Elle a l’aspect charmant
D’une adorable rousse
Ces cheveux sont d’or on dirait
Un bel éclair qui durerait
Ou ces flammes qui se pavanent
Dans les roses thé qui se fanent.”

Guillaume Apollinaire
La jolie Rousse

CHAPITRE III
LA GLOIRE

“La lumière jette
sur la chevelure
des rousses des reflets
d’incendie et fait valoir
le grain satiné de leur
teint. La lueur fauve,
couleur d’or, est
la plus vivante,
la plus discrète aussi
et par conséquent
la plus harmonique
et la plus belle.
La beauté est ainsi
sans détour.”

J.-J. Henner

Renart, archétype du roux heureux

Dans un monde hostile, quand on n'est pas le plus fort, il faut être le plus malin. Question de survie. C'est ce qu'a compris Renart, seigneur de Maupertuis, désigné comme «maudit rouquin» ou encore comme «vilain puant» et «insigne menteur». A la lecture du *Roman de Renart*, on découvre que, derrière ces surnoms de prime abord peu flatteurs, se cache un être extrêmement sympathique, et le petit peuple du XIIe-XIIIe siècle prit fait et cause pour le Rouquin-malin qui ridiculise les puissants, dénonce l'injustice sociale et la corruption.

Pour le naturaliste allemand A. E. Brehm (1829-1884), la couleur rousse du renard est parfaitement adaptée «à la vie de brigandage» qu'il mène dans les forêts, les landes et les bruyères.

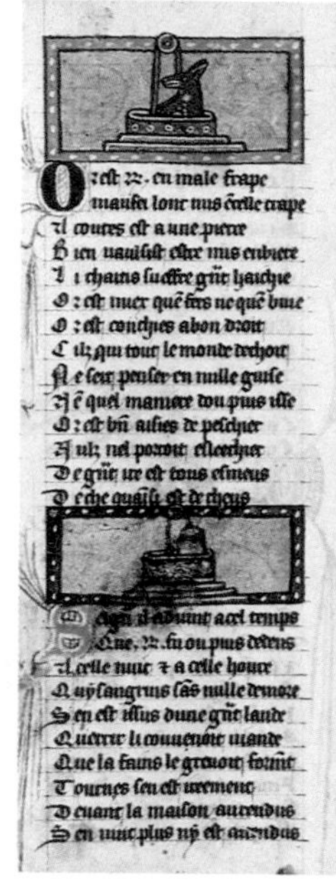

Ce rapport entre une particularité physique et l'activité d'un animal sauvage qui a de toute éternité «séduit» les hommes par son intelligence et sa rouerie, opère un amusant raccourci sémantique entre le roux séducteur (comme une femme est séductrice) et le roux brigand de grand chemin.

On apprécie ses bons tours et les pièges tendus aux adversaires; c'est lui qui tient en échec le loup Ysengrin, brutal et imbu de lui-même. Trouvant sa liberté au milieu des contraintes, il s'adapte en permanence. Tous respectent et admirent son indépendance, sa fantaisie, son esprit inventif et son courage. Certes roublard, vantard et égoïste, Renart est ingénieux, rusé, espiègle... et roux. Un roux heureux et aimé.

David (ci-dessous) le Bien Aimé est l'un des deux seuls personnages dont la Bible mentionne la rousseur. L'autre est Esaü.

David : le roux choisi par le Seigneur

«Il était roux, avait de beaux yeux, et une belle apparence» : c'est ainsi que David est décrit dans la Bible. C'est sur lui, un jeune berger, que le prophète Samuel, chargé d'oindre le futur roi d'Israël, avait arrêté son choix. Au contraire de la rousseur d'Esaü, qui représente la violence brutale et destructrice, celle de David symbolise une énergie vitale forte, canalisée et orientée vers le Bien.

Du personnage, on ne retient généralement que l'habileté dont il fit preuve contre le géant philistin Goliath. C'est oublier qu'il fut aussi un musicien talentueux et l'auteur inspiré de certains Psaumes. Homme politique habile et chef de guerre victorieux, il amena l'Arche d'alliance à Jérusalem, faisant de la ville une capitale tant sur le plan politique que sur le plan religieux.

L'homme tient une place unique dans la Bible car, doté de tous les dons, il est la fois ancêtre, précurseur et préfiguration du Christ, qui sera d'ailleurs souvent désigné, dans le Nouveau Testament, comme «Fils de David». C'est vraisemblablement à partir de cette considération de parenté que de très nombreux peintres ont choisi de représenter le Christ roux. C'est aussi la raison pour laquelle certains tableaux montrent la Vierge rousse. Saints ou saintes bénéficièrent également de ce signe d'identification.

Des vierges aux cheveux de flammes

La rousseur s'est installée dans certaines écoles picturales pour caractériser les personnages dont on voulait signaler la singularité. Leon Battista Alberti, le premier théoricien de la Renaissance, disait à propos des vierges qu'il fallait que «leurs cheveux volent dans l'air comme des flammes». Dans le même esprit, dans les représentations de *La Divine Comédie*, c'est une Béatrice rousse qui est envoyée à Dante pour lui indiquer les voies du salut. Mais c'est probablement avec les préraphaélites, ces peintres anglais du XIXe siècle qui remirent à l'honneur les premiers peintres de la Renaissance, que la rousseur prend toute sa gloire.

A différentes périodes de l'histoire de l'art, les sujets dont on voulait souligner la sainteté furent nimbés de roux. Avec les vierges rousses, les artistes évoquent aussi peut-être, à leur insu, la symbolique du sang. Ce rappel du cycle de la fécondité féminine confère à la Vierge une image profondément humaine.

Des hommes attachants et des femmes éclatantes

En littérature, les portraits aimables de jeunes gens ou d'hommes roux insistent sur un double aspect : rustique et attachant. On trouve sous la plume de François Coppée : «Il avait un honnête visage campagnard, les cheveux rousseaux, des taches de son sur le front», et sous celle de Maurice Barrès : «C'est un esprit et un corps robuste, un gai camarade avec des cheveux roux.» Jean Giono est plus lyrique : «Le garçon aux cheveux rouges, il nous tient au cœur comme le miel à la ruche.»

Figure marquante des préraphaélites, Rossetti associe la rousseur et le sang du Christ pour cette *Jeune fille au Saint Graal.*

Les femmes, en revanche, ont droit à un autre traitement. D'une belle brune ou d'une belle blonde, on dit qu'elles sont belles. D'une belle rousse, on dit qu'elle est éclatante. Il faut en convenir, les descriptions de chevelures les plus enflammées concernent essentiellement les femmes. Follement épris d'une «adorable Alexie», rousse, Cyrano de Bergerac lui écrit : «Une belle tête, sous une perruque rousse, n'est autre chose que le Soleil au milieu de ses rayons; ou le Soleil lui-même n'est autre chose qu'un grand œil sous la perruque d'une rousse : cependant tout le monde en médit, à cause que

peu de monde a la gloire de l'être. [...] Ne voyons-nous pas que toutes choses en la Nature sont plus ou moins nobles, selon qu'elles sont plus ou moins rousses?» «Tout l'or de vos cheveux est resté dans mon cœur», écrit, de façon plus intimiste, Sully Prudhomme. Emile Verhaeren se souvient lui aussi du trouble ressenti devant «une chevelure, oh! la belle chevelure rousse et barbare faisant des boucles multiples autour du front et donnant à l'ensemble je ne sais quel couronnement farouche».

Hymne à l'amour et à la beauté, sous le pinceau de Botticelli, Vénus surgit vêtue de sa seule chevelure fauve.

Pour dire l'amour et la beauté

On imagine aisément l'embarras de Botticelli lorsque Laurent le Magnifique le pria de concevoir une œuvre représentant la *Naissance de Vénus*. Vénus est exceptionnelle puisqu'elle représente à la fois l'Amour et la Beauté, et qu'elle est née de la rencontre d'une semence tombée du ciel et de l'onde marine. Comment représenter une telle extraterrestre? Se posait en outre une autre difficulté, quasi diplomatique. Fallait-il imaginer Vénus blonde ou brune? Choisir le blond aurait flatté les gens du nord de l'Europe et déplu à ceux du sud. Opter pour le brun aurait eu l'effet inverse. Dans les deux cas, le choix eût été entaché de partialité.

Génialement inspiré, Botticelli eut l'idée d'outrer la mode qui était au blond vénitien. En faisant de Vénus une rousse éclatante, échevelée, il écartait tous les problèmes. L'étrangeté de l'œuvre doit beaucoup à cette masse fauve de cheveux défaits, sensuelle promesse de bonheur, renforcée par la mélancolie du regard.

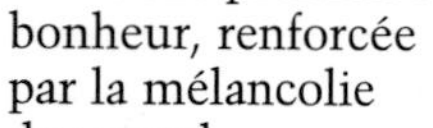

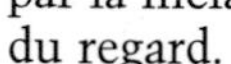

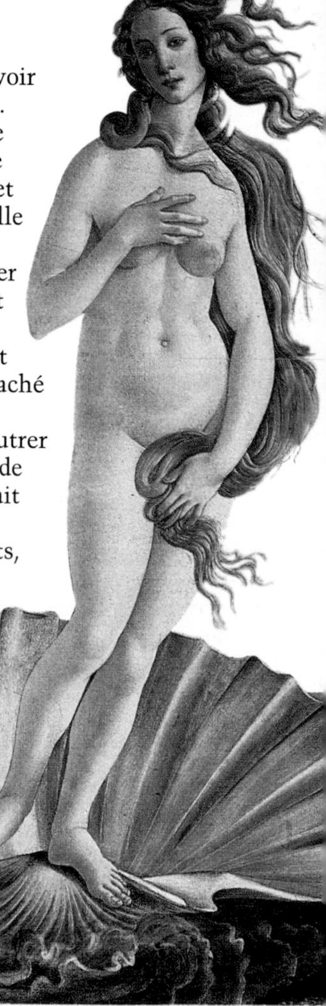

Dans cette recherche de l'archétype de la beauté féminine, Botticelli décrit parfaitement ce que l'amant voit de rare, d'unique dans l'objet de son amour.

Choisir la rousseur

Ces flammes que les peintres et les écrivains ont glorifié, certains ont cherché à les mettre dans leur chevelure. Ce choix personnel de la rousseur a, semble-t-il, toujours existé, prenant des significations différentes selon les époques et les cultures. En Europe, le recours à la teinture a toujours

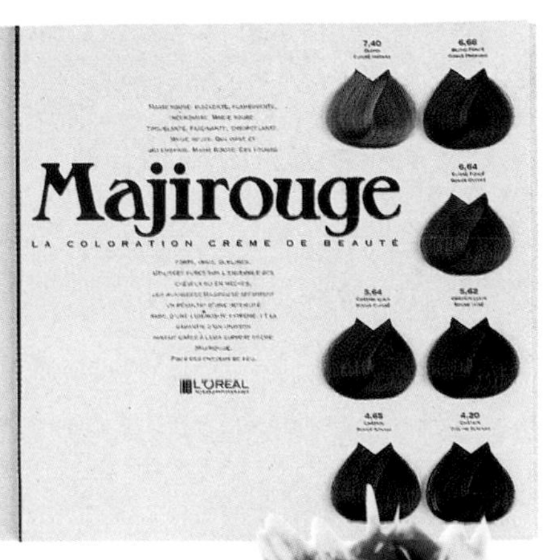

Magie rouge. Insolente, flamboyante, incendiaire, troublante, fascinante, ensorcelante... Grâce au progrès des teintures, la rousseur est désormais à la portée de tous.

concerné essentiellement les femmes. Recherche purement esthétique ? Recherche de la singularité, du tempérament souvent attribué aux rousses ? Il est difficile d'établir la part de chacune de ces motivations.

Grâce aux formidables progrès des recherches en laboratoire, on dispose aujourd'hui de produits tout prêts qui donnent des résultats réellement satisfaisants. Mais pendant longtemps, il a fallu recourir à des mixtures préparées à la demande. Ainsi, lorsqu'en 1853, à l'occasion de son mariage, l'impératrice Eugénie inaugura une nouvelle couleur tirant sur le roux, elle l'avait obtenue grâce à un mélange d'herbes tenu secret.

Dans la Rome antique, les femmes utilisaient du suif de chèvre et des cendres de hêtre pour donner à leurs cheveux des reflets cuivrés. Elles portaient aussi des perruques confectionnées avec les cheveux roux des prisonnières ou des esclaves germaniques. A Francfort, en 1596, un livre prodiguant des conseils

de beauté donnait cette recette de teinture : «Prenez des feuilles et de l'écorce de buis, mélangez-les à de la chélidoine, de la paille d'orge, de petits copeaux de bois de chêne, des lupins, de la farine de pois cassés, et quand tout ceci sera mis dans la solution, comme cela vient d'être décrit, les cheveux tourneront au rouge.»

Pour obtenir le fameux blond dont Carpaccio, Titien, ou Véronèse nous ont transmis la splendeur, les Vénitiennes confectionnaient

A l'époque de la Renaissance, les Vénitiennes teignent leur cheveux en un blond presque roux auquel sera associé leur nom.

une pâte décolorante dans laquelle entrait notamment, dit-on, de la fiente de pigeon ou de l'urine de vache. Elles pouvaient aussi se procurer chez les apothicaires une mixture à blondir, la *bionda*. Elles séchaient ensuite au soleil leurs cheveux étalés sur les larges bords d'un chapeau sans fond.

«Teignez-vous avec le henné, il ravive la beauté, la jeunesse et la vigueur»

En Afrique du Nord et au Moyen Orient, la coloration au henné, que le prophète Mahomet recommande, tient de la religion et de la magie autant que du soin de beauté. «C'est une plante du paradis», dit le Prophète. L'endroit où il pousse passe pour être béni par Allah. Employé seul, il donne une vive couleur orangée. Hommes et femmes y ont recours pour teindre les cheveux blancs et se redonner ainsi l'allure de la jeunesse. Mais le henné est aussi utilisé sur d'autres parties du corps, barbe, paume des mains, plante des pieds... Son utilisation cosmétique était aussi justifiée par des raisons d'hygiène : il a notamment pour vertu d'éloigner les parasites.

Une légende souligne l'importance du savoir-faire. Mahomet vit un jour un homme dont les cheveux étaient teints au henné. «C'est très bien», dit le prophète. Un autre passa, teint au henné mêlé de katam; «voilà qui est mieux!», observa-t-il. Un troisième vint, teint en or. Le prophète s'écria :

Issu d'un petit arbuste, le *lawsonia inermis*, le henné est utilisé comme colorant corporel. Pour les cérémonies publiques ou privées, les femmes se dessinent sur les mains des motifs de dentelle. L'écriture au henné constitue tout un langage : c'est un talisman, un moyen de défense contre les mauvais esprits et les génies malfaisants. Le henné, générateur de bonheur, fait échec à toutes ces menaces. Pages suivantes : le henné au masculin, au Pakistan, et au féminin, en Tunisie

« Voilà qui est encore mieux que tout cela. » Entre le henné utilisé en cataplasme de feuilles (le premier), en poudre mélangé à un additif végétal (le deuxième) et en teinture de manière à obtenir la transparence « teint en or », Mahomet choisissait ce dernier.

Les valeurs thérapeutiques et symboliques du henné tiennent à sa couleur qui l'apparente au sang, symbole de vie, de courage, de vigueur et, pour les femmes, rappel du sang des règles qui évoquent les cycles de la vie, et donc la fécondité.

La teinture rouge est une pratique courante dans les sociétés traditionnelles. En Océanie, on utilise encore la chaux pour décolorer en roussâtre les cheveux, lors de cérémonies ou de grandes fêtes. Les Indiens d'Amazonie connaissent depuis toujours la recette destinée à se roussir les cheveux : en mélangeant la pulpe du roucouyer à de la graisse de tortue, ils obtiennent une pâte rouge dont ils s'enduisent la tête pour éloigner les insectes et se protéger des rayons du soleil. Certaines tribus d'Indiens d'Amérique du Nord se paraient d'une crête flamboyante.

De la punkitude à la tolérance

Plus près de nous, en 1972, le chanteur David Bowie crée Ziggy Stardust, un personnage irréel aux cheveux rouges, filiforme, androgyne. Le succès fut immédiat. Le «Ziggy cult» se répand à travers le monde et les premiers clones de Ziggy font leur apparition, arborant la coupe et l'agressive couleur des cheveux savamment mise au point à base de teinture «red hot red», d'eau oxygénée et d'un puissant gel fixant.

Au bord de la schizophrénie, David Bowie décide un jour de juillet 1973 de mettre fin à l'aventure. Mais le personnage de Ziggy Stardust connaîtra une certaine pérennité au travers des nombreuses imitations qu'il a suscitées parmi les pop-stars des années 1970-1980. Sous l'appellation de punks – «voyou, pourri» en argot américain –, leurs fans se reconnaîtront dans ce phénomène de mode, caractérisé par l'agression et la dérision. Ils affichent nombre de signes de provocation contre l'ordre social qu'ils tournent en dérision, arborant des cheveux aux couleurs éclatantes, parmi lesquelles les rouges hurlants ou fluos ne sont pas les moins outrancières.

Vers le triomphe de la rousseur?

Il est curieux d'observer que, dans des domaines comme le dessin animé, la bande dessinée, la publicité ou encore la mode, les roux sont sur-représentés au regard de leur place statistique dans la population.

Visages peints, cheveux teints, recherche volontaire de la rousseur provocante : à gauche, guerriers indiens d'Amérique du Nord et punks; ci-dessous, David Bowie; page 61, Poison Ivy et Mr Freeze, dans *Batman and Robin.* La rousseur provoque aussi l'émotion : «Pourquoi ne devrais-je pas t'aimer?» (page 59); ci-dessus, des boucles flamboyantes vantent le charme de l'Irlande; page 60, une scène de *An Angel at my Table,* de l'Australienne Jane Campion.

L'ORÉAL
TEINTURE INOFFENSIVE POUR CHEVEUX

A SENTIMENTAL BLUES FOX-TROT
WHY SHOULDN'T I LOVE YOU
MAGRITTE
INTERNATIONAL
MUSIC COMPANY
PARIS - BRUXELLES
MUSIC BY
SYLVAIN HAMY

Du O'Malley des *Aristochats* au Prince de *La Belle au bois dormant* en passant par *La Petite Sirène*, *Robin des Bois* et *Peter Pan*... ils tiennent des rôles importants dans l'œuvre de Walt Disney. Avec l'intuition du génie, Tex Avery identifia les archétypes de la rousseur en créant Droopy, le mélancolique violent, Reginald Fox, le rusé, et les «girls» à la séduction diabolique.

Tenant à la fois de Renart et de David, les roux de bandes dessinées sont indépendants, pleins d'astuce et de courage. Dans la lignée de Rocambole, toujours du côté du faible contre le fort, Tintin, Red Rider, Bibi Fricotin, Spirou, Mortimer, Obélix, Tuckson... sont confrontés à de redoutables adversaires qu'ils parviennent toujours à confondre, se jouant de tous les dangers et des pièges les plus pervers.

Taches de rousseur et minois espiègle, sympathiques et décidés, les adolescents roux deviennent des modèles auxquels doivent s'identifier les jeunes consommateurs. Et la femme aux cheveux roux est destinée à crédibiliser l'image d'une consommatrice idéale, tout à la fois féminine et avisée, déterminée dans ses choix. Ou se mue en mannequin flamboyant.

Après des siècles au cours desquels roux et rousses furent à la fois craints et admirés, honnis et aimés, repoussants et désirables, on peut espérer que les métissages des cultures et des populations auxquels nous assistons aujourd'hui engendrent une meilleure

Jouant sur les fantasmes de leurs clientes, les créateurs de mode, font volontiers appel à l'effet «multiplicateur de féminité» que confère la rousseur. Sur un registre sophistiqué, un mannequin de Chantal Thomass (ci-dessous). Dans un genre plus populaire, Yvette Horner (à gauche), la célèbre accordéoniste, arbore un look signé Jean-Paul Gautier.

compréhension des hommes entre eux, et donc une plus grande tolérance à l'égard de ce qui continue à apparaître atypique, sur le plan culturel ou sociologique.

A mi-chemin entre l'utopie et la science, le Dr Césarini, dermatologue, envisage avec un humour certain... un avenir totalement roux pour l'humanité entière : «Sur un plan tout à fait théorique, le nombre de mutations capables d'entraîner la présence de gènes roux, non hérités, est assez important. On ne peut aller que vers le gène roux!»

Mêlant le réel et l'imaginaire, le film *Qui a peur de Roger Rabbit?* raconte l'histoire d'un lapin, d'un homme et d'une superbe créature... rousse bien sûr. Page suivante, une héroïne de Tex Avery.

WOLF
E
AWARD

TÉMOIGNAGES ET DOCUMENTS

“Une belle tête, sous une chevelure rousse,
n’est autre chose que le Soleil au milieu de ses rayons .”

Cyrano de Bergerac

Les roux et la science

La médecine a prouvé que les tares physiologiques attribuées aux sujet roux (tuberculose, allergies, troubles de la coagulation, difficultés anesthésiques) étaient sans fondement. Il reste que les roux présentent une particularité pigmentaire qui trouve son corollaire en pathologie cutanée.

Type 1 :	Roux-Roux	(Rx-Rx)
Type 2 :	Roux-Blond	(Rx-Bl)
Type 3 :	Roux-Brun	(Rx-Br)
Type 4 :	Blond-Blond	(Bl-Bl)
Type 5 :	Blond-Brun	(Bl-Br)
Type 6 :	Brun-Brun	(Br-Br)

Les phototypes

La sensibilité des individus au soleil a fait l'objet de nombreuses études pour en prévoir les effets à long terme.

Le terme de phototype désigne la qualité et la manière de réagir, variable d'un sujet à l'autre, à l'action des rayons ultraviolets. En fait, il s'agit de caractériser la population blanche, dite caucasienne, par sa sensibilité aux rayons ultraviolets (photosensibilité) et par sa capacité à acquérir une protection mélanique contre ces mêmes rayons ultraviolets.

Classification du Dr Césarini

Tandis que la classification de Fitzpatrick et coll. est basée sur l'érythème solaire et la capacité de protection des tissus de la peau, celle de Césarini prend en compte les trois groupes de gènes (roux, blond, brun) qui s'associent, deux à deux, pour former six combinaisons.

Elle repose sur l'interrogatoire de 400 sujets porteurs de mélanomes malins,

Mélanotype	Couleur des peaux	Couleu de peau hiver
0 (albinos)	Blanc	Rose
1 (Rx-Rx)	Roux	Laiteus
2 (Rx-Bl)	Doré	Claire
3 (Rx-Br)	Châtain	Claire
4 (Bl-Bl)	Blond	Claire
5 (Bl-Br	Brun clair	Mate
6 (Br-Br)	Marron	Mate

de cancers cutanés, particulièrement sensibles au soleil. L'interrogatoire a porté sur la couleur des cheveux, la couleur de la peau en hiver, la présence ou l'absence d'éphélides (taches de rousseur) et, d'autre part, l'apparition d'un érythème lors des premières expositions solaires et le caractère répétitif de cet érythème après trois semaines d'exposition. Le type de bronzage (léger, clair ou foncé) et sa dynamique dans le temps ont été particulièrement recherchés. La couleur des cheveux et la couleur de peau en hiver ont fait l'objet d'une recherche au niveau des ascendants sur deux générations.

L'analyse de ces questionnaires a permis l'établissement de phénotypes chez les sujets d'origine européenne. 98 % des sujets étudiés s'intègrent facilement dans l'une de ces six classes. L'étude des familles a permis de préciser la transmission d'un certain nombre de caractères phénitypiques et de définir ainsi génétiquement des classes.

La définition des trois phototypes homozygotes pour le gène ou le groupe de gènes a trouvé sa confirmation par l'étude ultrastructurale des mélanocytes de la peau non insolée habituellement (face interne du bras).

En effet, il est admis par un faisceau de preuves expérimentales et morphologiques que les phaeomélanines (responsables de la couleur rouge des cheveux) sont associées aux phaeomélanosomes, structures arrondies d'un demi-micron de diamètre synthétisés par les mélanocytes des sujets blonds et bruns. A l'état non stimulé, les mélanocytes des sujets blonds synthétisent de rares mélanosomes, alors que ceux des sujets bruns sont nettement moins paresseux. Chez les sujets hétérozygotes (phototypes 2, 3, 5), les mélanocytes au repos synthétisent les deux types de mélanosomes ou ont une activité intermédiaire. Le tableau ci-après fait la synthèse des informations obtenues par cette étude.

Jean-Pierre Césarini, *Précis de cosmétologie dermatologique*, Masson, 1981

Taches de rousseur	**Erythème**	**Bronzage**	**Capacité de bronzage**	**Protection contre le soleil**
0	Répété	0	0	0
***	Répété	Léger	Difficile	Très faible
**	Avant et	Léger	Difficile	Faible
*	malgré le	Moyen	Difficile	Légère
0	bronzage	Moyen	Facile	Grande
0	Avant bronzage	Foncé	Très facile	Grande
0	0	Foncé	Très facile	Très grande

Ramsès II était roux

De récentes investigations scientifiques opérées sous la double égide des Laboratoires de l'identité judiciaire et des Laboratoires de L'Oréal ont établi la rousseur originelle du pharaon Ramsès II. La découverte est d'importance car elle donne un nouvel éclairage sur le panthéon égyptien, en établissant un apparentement physique, hautement significatif, entre Seth-Typhon, honni entre tous, et Ramsès II, dont le règne marqua l'apogée de la civilisation égyptienne.

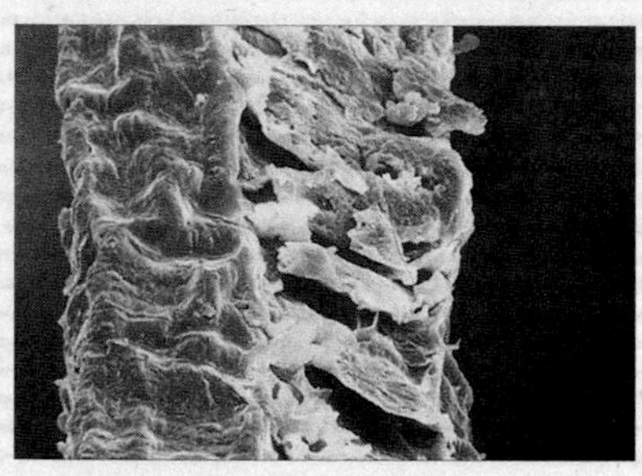

Un cheveu de Ramsès II observé au microscope électronique par les Laboratoires de L'Oréal. Page de droite : la momie de Ramsès II.

De Seth Typhon à Ramsès

Pour l'égyptologue Christiane Desroches Noblecourt, si Ramsès II n'avait pas été roux, la face du monde en aurait été changée…

Au début de la XIXe dynastie, deux pharaons dont les règnes sont intercalés entre ceux des premiers Ramsès ont été prénommés Sethi (c'est-à-dire celui de Seth). Il faut, alors, avoir en mémoire, avec quelle réelle ostentation le second Ramsès du nom prône la forme divine de Seth, dont il déclare que ses ancêtres sont issus. Il va jusqu'à l'associer au Bâal des asiatiques ; on note que Seth apparaît dans le mythe solaire, non seulement comme l'image de la perturbation nécessaire au déroulement des saisons, à l'équilibre des forces cosmiques, mais surtout comme l'allié de l'astre dans la barque duquel il monte pour mieux le défendre du Malin. En effet, le démon, le seul qui soit vraiment reconnu, n'est pas Seth mais Apophis, le dangereux serpent. Il n'est pas alors seulement un mal nécessaire, le Caïn, le Caliban, mais s'affirme comme l'aspect fortement dynamique du divin répandant ses bienfaits sur l'Egypte.

Ramsès avait-il été contraint d'exorciser aux yeux de son peuple le redoutable préjugé – ou le danger qu'évoquait généralement l'aspect flamboyant de sa chevelure ? Ainsi donc, loin de masquer cette dernière, notre pharaon l'aurait-il alors fait accepter en la sublimant ?

Qu'il nous soit permis d'anticiper un instant sur le déroulement de son histoire. En suivant les conclusions des treize spécialistes, dont les ingénieurs et médecins du Laboratoire de l'identité judiciaire, de l'Institut textile de France, de la société L'Oréal – qui ont déclaré pouvoir affirmer avec une presque entière certitude la rousseur initiale de Ramsès –,

nous reconnaissons d'emblée l'importance de cette découverte inattendue, qui éclaire très certainement les choix et l'attitude parfois provocante du grand roi. En effet, valoriser une particularité physique pouvant accabler moins subtil que lui, convertir un aspect néfaste en l'objet qui sublimait l'entité redoutée, n'était pas mince victoire ! Car, loin de masquer ce qui, à d'autres époques, pouvait être considéré comme un handicap, il incita son peuple à considérer la rousseur qui le marquait telle la démonstration de son origine séthéïenne, expression divine présentée comme bienfaitrice de ses pères… les premiers rouquins de la famille royale sans doute !

Christiane Desroches Noblecourt
Ramsès II, la véritable histoire,
Pygmalion 1996

Les cheveux de Ramsès II

En 1985, au terme d'examens sophistiqués menés en France notamment par les Laboratoires de la société L'Oréal et les Laboratoires de l'identité judiciaire, les experts ont délivré leurs conclusions.

La chevelure de la momie de Ramsès II se trouve limitée à une couronne temporo-occipitale qui correspond à un stade avancé de la calvitie. Les cheveux sont faiblement ondulés et d'une section ovale […]. L'échantillon examiné comprenait un pourcentage presque égal de cheveux totalement dépigmentés et de cheveux pigmentés, l'ensemble étant d'une teinte blond-roux clair tirant sur le jaunâtre. Si l'examen microscopique a permis de retrouver, avec une quasi-certitude, des pigments roux, il n'en est pas de même de l'éventuelle fraction pigmentaire blonde, laquelle pourrait exister à l'état diffus mais serait masquée par une teinture jaune pâle (probablement du henné dilué ou un de ses dérivés).

in *La Momie de Ramsès II*,
sous la direction de Lionel Balout et Catherine Roubet, éditions Recherche sur les civilisations, 1985, Paris

L'ambivalence des roux

Deux roux tiennent une place importante dans l'Ancien Testament : Esaü et David. Le premier déplaît à Dieu, le second bénéficie de son regard bienveillant. Une lecture plus attentive des textes nuance cette première approche, car Esaü fut sincèrement repentant de son péché, et David dut renoncer à la construction du Temple pour avoir versé le sang…

Ci-dessus : Esaü vend son droit d'aînesse à son frère contre une poignée de lentilles. Page de droite : David raillé par sa femme pour avoir dansé devant l'Arche d'alliance.

Le 6 juillet 1983, un entretien entre le grand rabbin Joseph Sitruk et le rabbin Josy Eisenberg apporte un certain éclairage à la question de la rousseur, de la violence et de l'ambivalence de David et d'Esaü.

RABBIN JOSY EISENBERG : […] Que nous dit la Bible à propos de David ? Elle nous donne des détails sur sa personne physique, elle nous dit qu'il est roux, qu'il a de beaux yeux et qu'il est beau d'apparence. Et nos rabbins ont été très intéressés par ces détails parce qu'il est évident qu'on ne nous parle pas, ici, de la personnalité de David. Il est évident que quand Samuel voit entrer un jeune homme […], il voit d'abord une apparence physique, mais comme cela nous est complètement égal de savoir…

JOSEPH SITRUK : … la couleur de ses cheveux.

JOSY EISENBERG : Qu'il soit roux ou qu'il soit brun, qu'il ait de beaux yeux, etc. Alors, finalement, il doit y avoir une raison, se sont dit les rabbins, à cette description. Alors on va parler un peu de ce que l'on peut deviner de la personnalité de David, d'après son apparence physique.

JOSEPH SITRUK : En effet, nos maîtres reconnaissent qu'il existe une relation entre l'apparence physique des individus et leur caractère. Sans que ceci soit une nécessité absolue, il y a des règles générales, et en particulier le qualificatif d'abord employé au sujet de David : *admoni*.

JOSY EISENBERG : C'est le premier, c'est le plus important de dire qu'il est roux.

JOSEPH SITRUK : Il est roux, c'est déjà une référence inquiétante. En effet, un autre personnage portait le même qualificatif, il était roux, *Veou admoni*, c'était Esaü, dans la mémoire juive, a laissé un souvenir désagréable. C'était un

homme violent, un homme de sang, et d'ailleurs la couleur, justement, roux, les cheveux roux de David semblent déjà indiquer une sorte de tendance vers la violence.

JOSY EISENBERG : Oui. Enfin, il y a une idée qui est très reçue dans le judaïsme et qui est que les rouquins sont des gens qui sont un peu sanguinaires ou violents. Alors je m'excuse auprès des rouquins très sympathiques, j'ai quelques amis qui sont rouquins et qui sont des gens tout à fait charmants. Donc, ne faisons pas du racisme anti-rouquin ici, à la télévision. Il y a déjà suffisamment de formes de racisme en France pour ne pas en inventer davantage. Mais je me souviens, par exemple, avoir vu quelquefois des reportages sur des matches de football ou de rugby et avoir entendu des commentateurs sportifs dire : « Un vilain coup de pied dc rouquin. » Il suffisait qu'il y ait un sportif qui soit rouquin pour que l'on dise qu'il était un peu plus violent que les autres et qu'il avait tendance à distribuer des coups de pied à tort et à travers. Alors je pense qu'il s'agit d'une généralisation un peu abusive, mais il est vrai que le mot « roux » en hébreu – et le roux est très proche du rouge – que le mot « roux » vient d'un terme qui désigne le sang. A la fois la couleur rouge, *adom*, et *dam*, le sang. Par conséquent… Et ensuite, vous l'avez observé, mais il faut peut-être y insister, il n'y a que deux fois dans la Bible où l'on parle de personnages qui soient rouquins, l'un c'est Esaü, l'autre, c'est David.

« David le rouquin »
in *Emissions israélites,* S.F.P.-France 2,
6 juillet 1983

La réputation des rousses

Un même fil parcourt, dans les sociétés traditionnelles, la tresse que forment les propos, les gestes et les fonctions des femmes. Il est fait des particularités de leurs corps. Particulière entre toutes les particularités, la rousseur des femmes a donné lieu à un corpus fourni de croyances et de représentations.

Les rousses qui « sentent »

Dans son ouvrage sur les trois rôles clefs des femmes dans la société traditionnelle française (la couturière, la cuisinière et la femme-qui-aide), Yvonne Verdier pointe la place toute particulière des rousses.

Si le pouvoir de corrompre provient d'une haleine marquée, plus violente et plus chaude durant les règles, les rousses, dont on dit « qu'elles sentent fort », qu'elles sont dotées d'une mauvaise odeur et d'une haleine puissante, et cela en permanence, sont spécialement virulentes. A tel point que l'on met au compte de la rousseur les dégâts causés par la sage-femme rousse d'un village voisin : le nombril des bébés qu'elle mettait au monde n'arrivait pas à se cicatriser, il restait purulent. La même sage-femme aurait même, une fois, infecté l'accouchée elle-même : « Cette sage-femme-là, elle avait l'haleine tellement forte, et puis elle sentait même mauvais de partout, eh bien, elle a contracté comme une épidémie à ma sœur avec son haleine. Ma sœur a eu une fièvre puerpérale, elle a été quarante-huit heures entre la vie et la mort. »

Les rousses qui « sentent » sont également plus perméables aux phénomènes atmosphériques, froid, pluie, eau qui éteignent les feux. Femmes baromètres, la pluie exalte leurs odeurs : « Quand il pleut, elles sentent », comme on dit « après la pluie, la terre fermente ». On peut à ce propos signaler un usage scientifique de leur propriété sensible : les météorologues qui se servent d'hygromètres à cheveux, appareils qui mesurent le degré d'humidité de l'air en utilisant les propriétés de rétraction et d'allongement des cheveux, emploient toujours des cheveux roux.

Les femme rousses sont rouges, rouges de la couleur du sang. La croyance populaire rapporte que l'enfant roux est un enfant qui a été conçu durant les règles de sa mère. Aussi, tout se passe comme si les rousses étaient affligées de l'odeur, de l'haleine et de la réceptivité qui seraient la manifestation d'un état de règles permanentes. Ce sont des femmes qui ont perdu leur balancier interne, des êtres sans équilibre, sans loi. Elles possèdent toutes les vertus des femmes indisposées, mais constamment.

Il existe une contrepartie positive à leur haleinc et à leur odeur, c'est la valorisation de leur sensualité. Réputées ardentes et passionnées en amour, elles ne laissent jamais indifférent : ou bien elles sont très recherchées des hommes pour ces qualités, ou au contraire, pour les mêmes raisons, elles leur sont insupportables. […]

Cette réputation amoureuse, les rousses la partagent avec les boiteuses qui, elles, sont déséquilibrées sur le plan physique : « Les boiteuses, c'est des bonnes baiseuses. » Qu'on se souvienne de Gervaise, la boiteuse, surnommée méchamment par sa belle-famille « la Banban », et des réflexions de Mme Lerat le jour de ses noces : « Madame Lerat, toujours pleine d'allusions polissonnes, appelait la jambe de la petite une quille d'amour; et elle ajoutait que beaucoup d'hommes aimaient ça, sans vouloir s'expliquer davantage. » On attribue les mêmes vertus aux bossues. Etre rousse, c'est comme une malformation, une infirmité de la périodicité.

Un rapport privilégié avec le sang

Une attitude particulière existe également à l'égard des hommes roux : « Dans le temps, il y avait une sorte de racisme pour les roux. A Bures […], il y avait un jeune homme qui était roux, d'une famille de roux. Une vieille, elle me disait : "Va pas traîner avec le rouquin, car s'il te mordrait, ça ne guérirait pas" ! » Les roux ont un rapport privilégié avec le sang; conçus dans le sang, ils le propagent, laissent les blessures ouvertes, sanglantes — tel était l'effet de la sage-femme rousse, évoquée plus haut, sur le nombril des bébés. Leur propre sang n'est pas de même nature que celui des autres hommes. D'un roux de Minot, on dit : « L'Alfred a le sang trop liquide. » Marqués de manière négative comme les rousses, ils le sont cependant entièrement et doublement. En effet, ils sont malodorants aussi, mais de cette odeur féminine assimilée à celle des règles. Donc, des êtres ambigus quant au sexe, et l'homme roux rejoint la femme barbue dans le même rejet méfiant […]

A leur égard, aucune compensation sur le plan érotique, mais une forte accusation de violence, facette masculine du rapport au sang, et de violence sexuelle. On les associe volontiers aux crimes de sang. Une petite fille fut assassinée au village au début du siècle, violée. L'enquête piétina, on organisa des battues, et en fin de compte, « tout a revenu sur le dos d'un rouquin ».

On racontc aussi, à Minot, l'histoire dramatique de cette jeune femme qui découvre le lendemain de ses noces que son mari est un roux. Furieuse, elle accuse tout son entourage, surtout sa belle-mère, de lui avoir caché la véritable identité de son mari. Elle tremble d'avoir un enfant roux : elle se retrouve entourée de roux, toute sa belle-famille. Devenue marraine d'une nièce rousse, elle l'accable de conseils pour ternir sa rousseur, et lui offre un peigne de plomb pour faire passer l'éclat de ses cheveux.

Yvonne Verdier,
Façons de dire, façons de faire,
Gallimard 1979

Le syndrome du vilain petit canard

Laids, nauséabonds, timorés, désespérés, moqués… on peut comprendre que nombre de roux ont souffert au cours des temps d'un sentiment d'infériorité. Par réaction, par panache – ou par l'intime conviction qu'une différence est un atout, voire un privilège –, la rousseur peut aussi susciter un sentiment de supériorité.

Cadet Rousselle…

Quasimodo

Mettant en scène, dans Notre Dame de Paris, *deux personnages que tout oppose, Esméralda et Quasimodo, Victor Hugo leur attribue pourtant un lien mystérieux : celui des réprouvés. La bohémienne et le monstre roux ont en commun la beauté, celle du corps pour la première, celle de l'âme pour le second.*

J'imagine, disait Agnès la Herme, que c'est une bête, un animal, le produit d'un juif avec une truie ; quelque chose enfin qui n'est pas chrétien et qu'il faut jeter à l'eau ou au feu.

– J'espère bien, reprenait la Gaultière, qu'il ne sera apostulé par personne.

– Ah mon Dieu ! s'écriait Agnès, ces pauvres nourrices qui sont là, dans le logis des enfants trouvés qui fait le bas de la ruelle en descendant la rivière, tout à côté de monseigneur l'évêque, si on allait leur apporter ce petit monstre à allaiter ! J'aimerais mieux donner à têter à un vampire.

– Est-elle innocente, cette pauvre la Herme ! reprenait Jehanne. Vous ne voyez pas, ma sœur, que ce petit monstre a au moins quatre ans et qu'il aurait moins appétit de votre têtin que d'un tournebroche.

En effet, ce n'était pas un nouveau que « ce petit monstre ». (Nous serions fort empêchés nous-mêmes de le qualifier autrement.) C'était une petite masse fort anguleuse et fort remuante, emprisonnée dans un sac de toile imprimé au chiffre de Messire Guillaume Chartier, pour lors évêque de Paris, avec une tête qui sortait. Cette tête était chose assez difforme. On n'y voyait qu'une forêt de cheveux roux, un œil, une bouche et des dents. »

Victor Hugo,
Notre Dame de Paris

Mathias, le « rouquemoute »

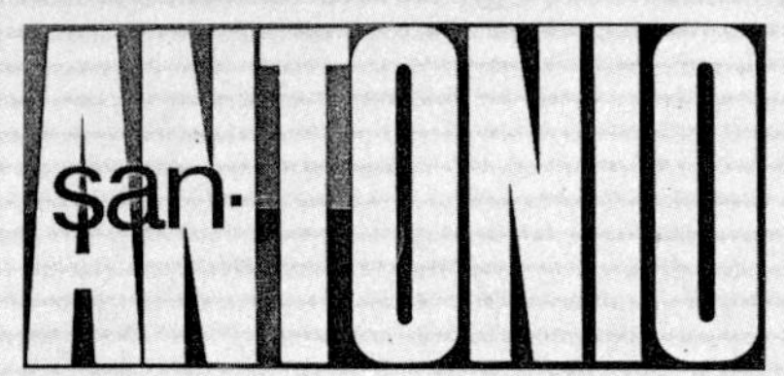

Frédéric Dard manie avec bonheur le comique d'exagération. Ses lecteurs s'amuseraient-ils de ces digressions s'ils n'admettaient pas, implicitement, que les roux ont une odeur ?

Au fait, ça ne vous gêne pas d'être rouquin ? Non ! Tant mieux. […] Dites, ouvrez la fenêtre, mon vieux, vous sentez ! Hein qu'il sent, San Antonio ? Tous les hyper-rouquins ! Le fort, la ménagerie. C'est pas de leur faute. Et pourtant ils se lavent. Hein, Mathias, que vous vous lavez bien ? Un bain par jour, n'est-ce pas ? Je sais j'ai eu une maîtresse rousse. Une affaire du tonnerre de Dieu, mais qui fouettait. Un vrai petit fauve ! […] Mathias, vous devriez aller chez un grand parfumeur du faubourg Saint-Honoré, demander un déodorant corporel pour rouquin, ça existe. Je connais une prostituée rousse qui en use. Certes, il faut une pulvérisation toutes les deux heures, mais c'est très efficace. […] Mais soyez gentil : si vous voulez que je poursuive, éloignez-vous un peu de mon bureau, je vous prie. Pas de beaucoup : trois ou quatre mètres, je commence à être incommodé sérieusement. Je ne comprends pas qu'on ne fasse rien pour les rouquins, voyez-vous. Et vous San-Antonio ? Ça ne vous indigne pas qu'on laisse ces malheureux fouetter en silence ? Il y a à faire mes amis ! Oh ! là là ! ce qu'il y a à faire pour améliorer la condition humaine ! Tenez, je vous prends l'aéronautique, par exemple, vous trouvez ça normal, vous autres, qu'on passe plus de temps dans les aéroports que dans les avions ? Il y a quelque chose qui ne cadre pas, hein ? Eh bien, pour les rouquins, c'est pareil. Ça possède une belle gueule, un rouquin, non ? Ça a du caractère. Et alors, pourquoi ça pue pareillement ?

Frédéric Dard,
Tarte à la crème story,
Fleuve Noir, 1980

Jean ou l'inexistence

« Robinson cherchait vainement le regard de ses yeux, si clairs qu'on croyait voir le jour à travers sa tête. » Transparent, décharné, Jean le Mousse n'existe que par défaut.

C'était un enfant qui pouvait avoir douze ans, d'une maigreur de chat écorché. On ne pouvait voir son visage mais ses cheveux formaient une masse rouge, opulente, qui faisait paraître plus chétives encore ses minces épaules, ses omoplates qui saillaient comme des ailes d'angelots, son dos le long duquel coulait une traînée de taches de rousseur et que striaient des marques sanglantes. Robinson avait ralenti le pas en le voyant.

– C'est Jean, notre mousse, lui dit le commandant. Puis il se tourna vers le second. – Qu'a-t-il encore fait ?

Une trogne rougeaude, coiffée d'un bonnet de maître coq émergea aussitôt de l'écoutille de la cambuse, comme un diable qui sort d'une boîte.

– Je ne peux rien en tirer ! Ce matin, il m'a gâté un pâté de poule en le salant trois fois par distraction. Il a eu ses douze coups de garcette. Il en aura d'autres s'il ne s'amende pas.

Michel Tournier,
Vendredi ou les limbes du Pacifique,
Gallimard

Le désespoir existentiel

Pour occuper les béances de sa vie, Antoine Roquentin tient son journal ; l'écriture déclenche en lui une sorte d'obsession de l'insignifiance.

Je n'y comprends rien, à ce visage. Ceux des autres ont un sens. Pas le mien. Je ne peux même pas décider s'il est beau ou laid. Je pense qu'il est laid, parce qu'on me l'a dit. Mais cela ne me frappe pas. Au fond, je suis même choqué qu'on puisse lui attribuer des qualités de ce genre. Comme si on appelait beau ou laid un morceau de terre ou bien un bloc de rocher.

Il y a quand même une chose qui fait plaisir à voir, au-dessus des molles régions des joues, au-dessus du front : c'est cette belle flamme rouge qui dore mon crâne, ce sont mes cheveux. Ça, c'est agréable à regarder. C'est une couleur nette, au moins : je suis content d'être roux. C'est là, dans la glace, ça se fait voir, ça rayonne. J'ai encore de la chance : si mon front portait une de ces chevelures ternes qui n'arrivent pas à se décider entre le châtain et le blond, ma figure se perdrait dans le vague, elle me donnerait le vertige.

Jean-Paul Sartre,
La Nausée, Gallimard

La honte de l'espèce

Les pires lieux communs deviennent insolites et drôles quand ils tombent entre les mains de Pierre Desproges, humoriste génial.

Rouquin (e) : adj. et n. Fam : qui a les cheveux roux. Le rouquin est un mammifère vivipare omnivore, assez voisin du blondinet. Pas trop voisin quand même, car le blondinet fuit le rouquin dont on nous dit qu'il pue.

A cet égard, on considère généralement que le rouquin est à l'homme ce que le putois est au ragondin des sous-bois ou le canard boiteux au col-vert solognot. C'est-à-dire la honte de l'espèce, le banni pestilentiel au regard faux dont la seule présence est une véritable insulte au bon goût français (ou au bon goût du Connecticut, dans le cas du ragondin d'Amérique).

On peut toutefois reconnaître aisément un rouquin d'un putois ou d'un canard boiteux. En effet, seul le rouquin a les poils des couilles roux. Alors que, comme son nom l'indique, le col-vert a l'utérus carrément pistache…

Parmi tous les types de rouquins, le rouquin cul-de-jatte est le plus défavorisé. A l'instar du manchot qui louche, le rouquin cul-de-jatte prête à rire doublement…

En fin de compte, on peut dire qu'on reconnaît le rouquin aux cheveux du père, et le requin aux dents de la mère.

Pierre Desproges,
extrait du *Petit Desproges illustré*

« Etre rouquin, c'est pas normal »

« J'ai été persécuté », déclare Jacques Lanzman, qui raconte son enfance dans un roman autobiographique, Le Têtard.

A Groutel, j'avais souffert de mes cheveux rouges, j'étais un dépigmenté, un poil de brique, un maudit petit rouquin qui avait pris le soleil à travers une passoire. A Melun, j'eus à faire face à ceux qui me reprochaient – et c'étaient généralement les mêmes – ma rouquinerie et ma juiverie. Chez les Bongrand, le poil avait de nouveau primé ; eux, ils ne savaient pas que j'étais juif, mais voyaient que j'étais rouge. Et, quand le Marcel ou l'Albert rentrant des champs s'attablaient en disant : «Dis donc, la mère, on se taperait bien un coup de rouquin», je me sentais visé et je l'étais.

[…] La pire insulte, celle qui me mettait hors de moi, c'était : «Ta mère t'a pas retiré du four à temps». Des insultes pour les rouquins, il y en a des tas. Etre rouquin, c'est pas normal, c'est comme être juif. Moi, j'étais les deux, mais à Groutel, heureusement, personne ne savait que j'étais juif ; même pas moi d'ailleurs. Pour tout le monde, j'avais « pris le soleil à travers une passoire » et c'était déjà pas mal.

Jacques Lanzmann,
Le Têtard, Laffont, 1976

« Red », alias Woody Allen

Exceptionnellement doué pour transformer l'adversité en situation de comédie, Woody Allen n'en paya pas moins un lourd tribut à la psychanalyse.

Un jour, j'allais à mon cours de violon, quand j'étais gosse. Je passe devant la salle de billard et Floyd et tous ses amis sont là dehors, vous savez. Ils fauchent des enjoliveurs à Brooklyn, sur des voitures qui roulent.

J'ai continué mon chemin et il m'a crié après : « Hé! Poil de Carotte ! »

J'étais un gamin un peu suffisant. J'ai posé mon violon. Je vais vers lui. Je dis : « Je ne m'appelle pas Poil de Carotte. Si tu veux t'adresser à moi, appelle-moi par mon nom normal. Je m'appelle Maître Heywood Allen ».

J'ai passé cet hiver-là dans un fauteuil roulant. L'équipe de médecins eut un mal fou à m'extraire le violon. Heureusement que ce n'était pas un violoncelle.

Woody Allen
Le Petit Woody,
Textes recueillis par
Linda Sunshine, Plon, 1995

« J'en ai fait un pôle plus »

D'instinct, Sonia Rykiel a compris, dès l'enfance que la différence est constitutive de la personnalité, et donc que la rousseur est une chance.

Toute petite, derrière moi, il y a avait mes sœurs. Elles étaient belles, je ne l'étais pas. J'étais différente. Rousse. Ponctuée, accentuée, signalée.

J'ai vécu cette « anormalité » comme un combat.

Ma mère me répétait toujours : « Tu peux tout. »

Mais je ne pouvais rien puisqu'en fait je n'avais rien à faire pour être autre. Je l'étais naturellement. Naturellement, j'étais référée, marquée au fer rouge.

J'étais violente, dure, difficile. Seules mes sœurs avaient grâce à mes yeux. Elles étaient à moi. Elles étaient douces, fragiles. Personne ne pouvait les toucher, leur faire mal. J'aurais tué.

Rien ne me retenait, j'étais sans limite. Ma mère appelait cela « avoir du caractère ».

Moi, je vivais à côté, du côté du rouge.

Je n'étais pas une fille, je détestais les poupées, les chiffons, les jouets. Je regardais mes sœurs habiller-déshabiller leurs « enfants », je ne comprenais rien à leur jouissance. J'étais ébahie que l'on puisse mettre et remettre des vêtements sur des corps inertes, coiffer des têtes sans vie et parler à des êtres sans regard.

Mais elles me troublaient parce qu'elles étaient toutes les quatre comme ça, que je les adorais et que c'était moi, qui, certainement, étais bizarre. […]

Rien de moi ne les étonnait. Comme ma mère, elles attendaient tout. En fait, elles faisaient barrière. Elles étaient l'écran entre la vie et moi. Elles me tempéraient, me ramenaient à la maison, suppliaient maman de ne pas me battre (j'étais tellement dure), m'admiraient.

J'étais rousse. Rousse comme il n'est pas permis de l'être. Rousse sang. Pas d'une couleur orangée très vive mais d'un rouge flamboyant, un rouge rubis, un rouge hurlant.

J'étais extrême, couleur révolution. Rousse rouge, incandescente, chauffée au rouge, enflammée, écarlate, feu. Je n'avais peur de rien, rien ne me faisait rougir. J'étais comme rouillée, couverte de taches de rousseur et pour me dérouiller, toute petite, ma mère, à l'aube, m'emmenait me laver le visage dans l'herbe rosée du matin.

Rien n'y faisait. J'étais tachée, galvanisée, impudente.

Je vivais double.

L'intérieur, ma chair, mes os de petite fille, et l'extérieur vermillon ou carmin. Je ne pouvais les emmêler, j'étais en deux parties. J'aurais voulu me relier, me plaquer mais c'était impossible.

Si j'étais calme à l'intérieur, la provocation venait de l'extérieur, de ce rouge collé à ma peau, à ma tête, à ma vie.

Très vite, j'ai affirmé mes positions. J'ai joué l'avantage de cette différence, j'en ai fait un pôle plus, une évidence, un pouvoir. Je me sentais authentique, prête. Je tenais tête, je ne lâchais rien, jamais. Je voulais avoir raison, posséder, ne pas demander de permissions, faire l'infaisable. […]

Le rouge de mes cheveux, la tache sur ma tête. Je ne pouvais pas me cacher, j'étais toujours découverte. J'éclaboussais comme le soleil, on me voyait de partout.

Toute petite, je pensais même que mes cheveux étaient lumineux la nuit comme les yeux d'un chat.

Quand je suis née, on m'a frotté la tête à l'eau oxygénée parce qu'on croyait que j'étais couverte de sang. Non, c'était déjà moi, rouge sang.

Plus tard, maman m'a raconté qu'en me donnant le sein, elle répétait : « Pourquoi tu es rousse? Pourquoi tu es rousse? »

Est-ce moi qui l'ai voulu si profondément, si intimement dans le corps de ma mère, que j'ai pu, seule, dans l'eau de son ventre, me repigmenter la tête.

Sonia Rykiel,
Et je la voudrais nue…
Grasset, 1979

Les muses rousses

Sensibles aux charmes d'une femme – qui se trouve être rousse –, de nombreux auteurs ont focalisé leurs discours amoureux sur la flamboyante chevelure, comme si les raisons de leur émoi s'y trouvaient confusément enfouies.

Pour une dame rousse

Le véritable Cyrano de Bergerac, qu'Edmond Rostand immortalisa dans sa pièce, laisse une œuvre caractérisée par l'imagination et la fantaisie, comme le montre cette déclaration enflammée.

Je sais bien que nous vivons dans un pays, où les sentiments du vulgaire sont si déraisonnables, que la couleur rousse, dont les plus belles chevelures sont honorées, ne reçoit que du mépris ; mais je sais bien aussi que ces stupides, qui ne sont animés que de l'écume des âmes raisonnables, ne sauroient juger comme il faut des choses excellentes, à cause de la distance qui se trouve entre la bassesse de leur esprit et la sublimité des ouvrages dont ils portent jugement sans les connoître : mais, quelle que soit l'opinion malsaine de ce monstre à cent têtes, permettez que je parle de vos divins cheveux comme un homme d'esprit. Lumineux dégorgement de l'essence du plus beau des êtres visibles, intelligente

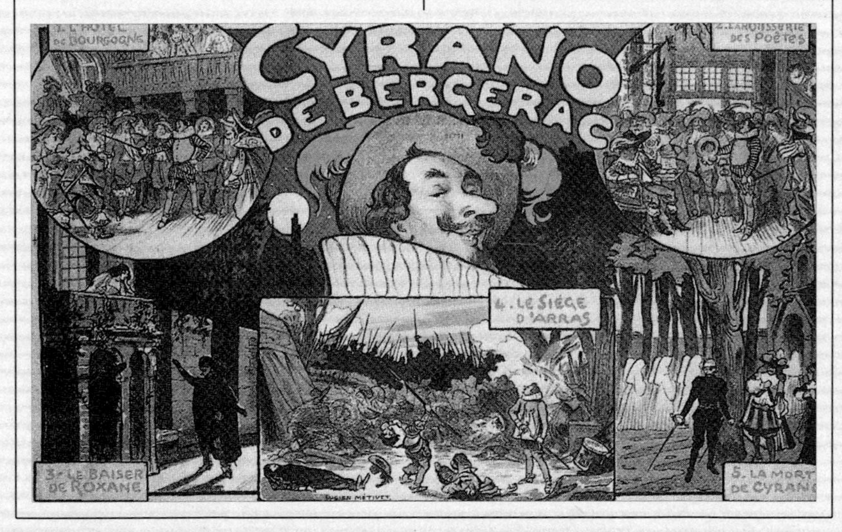

réflexion du feu radical de la Nature, image du Soleil la mieux travaillée, je ne suis point si brutal de méconnoitre, pour ma reine la fille de celui que mes pères ont connu pour leur Dieu. […] J'en étois là de ma lettre, adorable M…, lorsqu'un censeur à contre-sens m'arracha la plume, et me dit que c'étoit mal se prendre au panégyrique de louer une jeune personne de beauté, parce qu'elle étoit rousse. Moi, ne pouvant punir cet orgueilleux plus sensiblement que par le silence, je pris une autre plume, et continuai ainsi : Une belle tête, sous une perruque rousse, n'est autre chose que le Soleil au milieu de ses rayons ; ou le Soleil lui-même n'est autre chose qu'un grand œil sous la perruque d'une rousse : cependant tout le monde en médit, à cause que peu de monde a la gloire de l'être : et cent femmes à peine en fournissent une, parce qu'étant envoyées du Ciel pour commander, il est besoin qu'il y ait plus de sujets que de seigneurs. Ne voyons-nous pas que toutes choses en la Nature sont plus ou moins nobles, selon qu'elles sont plus ou moins rousses ? Entre les éléments, celui qui contient le plus d'essence et le moins de matière, c'est le feu, à cause de sa rousse couleur : l'or a reçu de la beauté de sa teinture, la gloire de régner sur les métaux ; et, de tous les astres, le Soleil n'est le plus considérable, que parce qu'il est le plus roux. Les comètes chevelues qu'on voit voltiger au Ciel à la mort des grands hommes, sont-ce pas les rousses moustaches des Dieux, qu'ils s'arrachent de regret. Castor et Pollux, ces petits feux qui font prédire aux matelots la fin de la tempête, peuvent-ils être autre chose que les cheveux roux de Junon qu'elle envoie à Neptune en signe d'amour ? Enfin, sans le désir qu'eurent les hommes de posséder la toison d'une brebis rousse, la gloire de trente demi-Dieux seroit au berceau des choses qui ne sont pas nées ; et (un navire n'étant encore qu'un être de raison) Améric ne nous auroit pas conté que la terre a quatre parties. Apollon, Vénus et l'Amour, les plus belles divinités du Panthéon, sont rousses en cramoisi ; et Jupiter n'est brun que par accident, à cause de la fumée de son foudre qui l'a noirci. Mais si les exemples de la mythologie ne satisfont pas les aheurtés, qu'ils confrontent l'histoire. Samson, qui tenoit toute sa force pendue à ses cheveux, n'avoit-il pas reçu l'énergie de son miraculeux être dans le roux coloris de sa perruque ? Les destins n'avoient-ils pas attaché la conservation de l'empire d'Athènes à un seul cheveu rouge de Nissus ? Et Dieu n'eût-il pas envoyé aux Ethiopiens la lumière de la foi, s'il eût trouvé parmi eux seulement un rousseau ? On ne douteroit point de l'éminente dignité de ces personnes-là, si l'on considéroit que tous les hommes qui n'ont point été faits d'hommes, et pour l'ouvrage de qui Dieu lui-même a choisi et pétri la matière, ont toujours été rousseaux. Adam, qui, étant créé par la main de Dieu même, doit être le plus accompli des hommes, fut rousseau ; et toute philosophie bien correcte doit apprendre que la Nature, qui tend au plus parfait essaye toujours, en formant un homme, de former un rousseau, de même qu'elle aspire à faire de l'or en faisant du mercure […].

Pour moi, tout ce que je souhaite, ô ma belle M…, est qu'à force de promener ma liberté dedans ces petits labyrinthes d'or, qui vous servent de cheveux, je l'y perde bientôt ; et tout ce que je souhaite, c'est de ne la jamais recouvrer quand je l'aurai perdue.

Cyrano de Bergerac

A une mendiante rousse

Justifiant le titre du recueil d'où est extrait ce poème, Baudelaire est simultanément attiré par la « fleur » et fasciné par le « mal ».

Blanche fille aux cheveux roux,
Dont la robe par ses trous
Laisse voir la pauvreté
Et la beauté,

Pour moi, poëte chétif,
Ton jeune corps maladif,
Plein de taches de rousseur,
A sa douceur.

Tu portes plus galamment
Qu'une reine de roman
Ses cothurnes de velours
Tes sabots lourds.

Au lieu d'un haillon trop court,
Qu'un superbe habit de cour
Traîne à plis bruyants et longs
Sur tes talons;

En place de bas troués,
Que pour les yeux des roués
Sur ta jambe un poignard d'or
Reluise encor;

Que des nœuds mal attachés
Dévoilent pour nos péchés
Tes deux beaux seins, radieux
Comme des yeux;

Que pour te déshabiller
Tes bras se fassent prier
Et chassent à coups mutins
Les doigts lutins,

Perles de la plus belle eau,
Sonnets de maître Belleau
Par tes galants mis aux fer
Sans cesse offerts,

Valetaille de rimeurs
Te dédiant leurs primeurs
Et contemplant ton soulier
Sous l'escalier,

Maint page épris du hasard,
Maint seigneur et maint Ronsard
Épieraient pour le déduit
Ton frais réduit!

Tu compterais dans tes lits
Plus de baisers que de lis
Et rangerais sous tes lois
Plus d'un Valois!

Cependant tu vas gueusant
Quelque vieux débris gisant
Au seuil de quelque Véfour
De carrefour;

Tu vas lorgnant en dessous
Des bijoux de vingt-neuf sous
Dont je ne puis, oh! pardon!
Te faire don.

Va donc, sans ornement,
Parfum, perle, diamant,
Que ta maigre nudité,
O ma beauté!

Charles Baudelaire
Les Fleurs du Mal

A la princesse Roukhine

« Au feu! », est-on tenté de crier, tant Verlaine, allumé « par tous les bouts », voit ses sens embrasés par cette princesse « follement blonde ».

C'est une laide de Boucher
Sans poudre dans sa chevelure,
Follement blonde et d'une allure
Vénuste à tous nous débaucher.

Mais je la crois mienne entre tous,
Cette crinière tant baisée,

Cette cascatelle embrasée
Qui m'allume par tous les bouts.

Elle est à moi bien plus encor
Comme une flamboyante enceinte
Aux entours de la porte sainte,
L'alme, la divine toison d'or !

Et qui pourrait dire ce corps
Sinon moi, son chantre et son prêtre,
Et son esclave humble et son maître
Qui s'en damnerait sans remords,

Son cher corps rare, harmonieux,
Suave, blanc comme une rose
Blanche, blanc de lait pur, et rose
Comme un lys sous de pourpres cieux ?

Cuisses belles, seins redressants,
Le dos, les reins, le ventre, fête
Pour les yeux et les mains en quête
Et pour la bouche et tous les sens ?

Mignonne, allons voir si ton lit
A toujours sous le rideau rouge
L'oreiller sorcier qui tant bouge
Et les draps fous. O vers ton lit !

Paul Verlaine,
Hombres. Œuvres libres

Nini Peau d'chien

Aristide Bruant ajoute à la vérité sociologique du langage populaire son pouvoir d'évocation poétique ; blonde ou brune, Nini n'eut pas été si piquante.

Quand alle était p'tite,
Le soir alle allait,
A Saint'-Marguerite,
Où qu'a s'dessalait ;
Maint'nant qu'alle est grande,
All' marche, le soir,
Avec ceux d'la bande
Du Richard-Lenoir.

A la Bastille
On l'aime bien
Nini-Peau-d'chien :
Alle est si bonne et si gentille !
On l'aime bien
Nini-Peau-d'chien
A la Bastille.

Elle a la peau douce,
Aux taches de son,
A l'odeur de rousse
Qui donne un frisson…
Et de sa prunelle,
Aux tons vert-de-gris,
L'amour étincelle
Dans ses yeux d'souris.

A la Bastille
On l'aime bien
Nini-Peau-d'chien :
Alle est si bonne et si gentille !
On l'aime bien
Nini-Peau-d'chien
A la Bastille.

Quand le soleil brille
Dans ses cheveux roux,
L'génie d'la Bastille
Lui fait les yeux doux,
Et, quand a s'promène,
Du bout d'l'Arsenal,
Tout l'quartier s'amène
Au coin du canal.

A la Bastille
On l'aime bien
Nini-Peau-d'chien :
Alle est si bonne et si gentille !
On l'aime bien
Nini-Peau-d'chien
A la Bastille.

Mais celui qu'elle aime,
Qu'elle a dans la peau,
C'est Bibi-la-Crème,
Parc' qu'il est costeau,
Parc' que c'est un homme
Qui n'a pas l' foi' blanc,
Aussi faut voir comme
Nini l'a dans l'sang !

Aristide Bruant

Julie la Rousse

Indissociables, paroles et musique, du même René-Louis Lafforgue, donnent de Julie et de sa rousseur un affriolant portrait.

Fais nous danser, Julie la Rousse
Toi dont les baisers
Font oublier ;

Petite gueule d'amour, t'es à croquer
Quand tu passes en tricotant des
hanches,
D'un clin d'œil le quartier est dragué,
C'est bien toi la reine d'la place
Blanche…

Fais nous danser, Julie la Rousse
Toi dont les baisers
Font oublier ;

Petit' gueule d'amour t'es à croquer,
Chapeau bas t'es un' bonn' citoyenne
Tu soulages sans revendiquer
Les ardeurs extra-républicaines…

René-Louis Lafforgue
© Pathé Marconi

Le rouge de la mariée

Mort en 1838, René Caillé fut le premier à traverser l'Afrique, de Saint-Louis-du-Sénégal à Tanger en passant par Tombouctou. La précision et la qualité de ses observations rendent incomparables ses récits de voyages.

On pare la fiancée maure, on lui met le henné pour la rendre plus belle aux yeux de son amant. Le henné croît abondamment dans l'intérieur, les Mauresses pilent ses feuilles qui procurent une couleur rouge pâle, en usage pour leur parure. Les feuilles étant pilées et réduites en pâte, cette pâte est appliquée sur la partie du corps que l'on veut colorer, on la préserve de l'action de l'air en la couvrant et on l'arrose souvent avec de l'eau dans laquelle on a fait macérer de la fiente de chameau. La couleur met cinq à six heures à se fixer, après ce temps, on enlève le marc et la partie qui a été recouverte reste teinte d'un très beau rouge. Elles se mettent le henné sur les ongles, sur les pieds et dans les mains où elles se font toutes sortes de dessins. Je n'en ai jamais vu mettre à la figure. Cette couleur reste un mois sans s'altérer et ne s'efface qu'au bout de deux mois.

C'est chez les Maures non seulement un très bel ornement, mais encore un usage consacré par la religion pour les femmes qui se marient. Lorsqu'on a mis le henné à une femme, elle affecte de le faire voir, elle a soin en parlant de faire remarquer ses mains et ses pieds, pour qu'on lui fasse compliment. Partout, les femmes sont coquettes. La parure des Mauresses ne consiste pas seulement dans le henné. Notre fiancé se fit aussi coiffer, ses cheveux enduits d'une pommade faite avec du beurre, du girofle pilé et de l'eau furent mis en tresses qui lui retombaient sur les épaules et garnies de boules d'ambre, de corail et de verroteries de diverses couleurs.

René Caillé,
Voyage à Tombouctou

Le désir sur les lèvres

Durant l'année 1616, Colas Breugnon, menuisier à Clamecy, tient son journal. Il y mentionne la vive attirance qu'il éprouve pour Belette, belle et sensuelle jeune femme rousse.

Le soir, elle venait causer, près de mon mur. Je la vois, une fois, tout en parlant et riant, avec ses yeux hardis qui cherchaient dans mes yeux le défaut de mon cœur, pour le faire crier, je la vois, bras levés, attirant une branche de cerisier chargée de rouges pendeloques, qui formaient une guirlande autour des cheveux roux ; et, sans cueillir les fruits, les becquetant à l'arbre, gorge tendue, bec en l'air, en laissant les noyaux. Image d'un instant, éternelle et parfaite, jeunesse, jeunesse avide qui tête les mamelles du ciel ! »

Romain Rolland
Colas Breugnon

Judas, l'homme «qui est tout rouge»

Dans un recueil d'essais intitulé La Trahison, *la revue* Le Genre humain *a rassemblé des portraits de traîtres. Sur tous les félons du monde occidental, plane l'ombre de Judas. Or Judas était roux.*

L'historien Michel Pastoureau, qui a travaillé, entre autres, sur l'histoire des couleurs, rappelle ici, dans son article «Tous les gauchers sont roux», la mauvaise réputation des roux .

Comme tous les traîtres, Judas ne pouvait pas ne pas être roux. Il l'est donc peu à peu devenu au fil des siècles, d'abord dans les images à partir de l'époque carolingienne, puis dans les textes à partir des XIIe et XIIIe siècles. Ce faisant, il a rejoint un petit groupe de félons et de traîtres célèbres, que les traditions médiévales avaient pris l'habitude de distinguer par une chevelure ou par une barbe rousse :

Le Baiser de Judas, par James de Tissot, illustration pour l'Ancien Testament.

Caïn, Dalila, Saül, Ganelon, Mordret et quelques autres.
Depuis longtemps en effet, la trahison avait en Occident ses couleurs, ou plutôt sa couleur, celle qui se situe à mi-chemin entre le rouge et le jaune, qui participe de l'aspect négatif de l'une et de l'autre et qui, en les réunissant, semble les doter d'une dimension symbolique exponentielle. Ce mélange du mauvais rouge et du mauvais jaune n'est pas à proprement parler notre *orangé* — lequel constitue au reste un concept et une nuance chromatiques pratiquement inconnus de la sensibilité médiévale — mais plutôt la version sombre et saturée de celui-ci; le roux, couleur des démons, du renard, de la fausseté et de la trahison.

Judas n'est pas seul

Aucun texte canonique du Nouveau Testament, ni même aucun texte biblique apocryphe, ne nous parle de l'aspect physique de Judas. Par là même, ses représentations dans l'art paléochrétien, puis dans l'art du premier Moyen Age, ne se caractérisent par aucun trait ni attribut spécifique. Dans la figuration de la Cène, toutefois, un effort est tenté pour le distinguer des autres apôtres, en lui faisant subir un écart différentiel quelconque, concernant sa place, sa taille, son attitude ou sa pilosité. Mais ce n'est qu'à l'époque de Charles le Chauve, dans la seconde moitié du IXe siècle, qu'apparaît puis se diffuse l'image de sa chevelure rousse. Cela se fait lentement, d'abord dans les miniatures, puis sur d'autres supports. Née dans les pays rhénans et mosans, cette habitude iconographique gagne peu à peu une large partie de l'Occident (en Italie et en Espagne elle restera, cependant, toujours plus rare qu'ailleurs). Et, à partir du XIIIe siècle, cette chevelure, souvent associée à une barbe de même couleur, devient dans la panoplie emblématique de Judas le premier et le plus récurrent de tous ses attributs.

[…]

Judas n'a pas le monopole de [la chevelure rousse]. Dans l'art du Moyen Age finissant, beaucoup de traîtres, de félons ou de rebelles sont roux. Ainsi Caïn qui, dans la symbolique typologique mettant en parallèle les deux Testaments, est toujours présenté comme une préfiguration de Judas. Ainsi Ganelon, le traître de *la Chanson de Roland*, qui par vengeance n'hésite pas à envoyer au massacre Roland (pourtant son parent) et ses compagnons. Ainsi Mordret, le traître de la légende arthurienne : fils incestueux du roi Arthur, il trahit son père, et cette trahison provoque l'écroulement du royaume de Logres et le crépuscule de tout l'univers arthurien. Ainsi encore les Chevaliers félons des légendes épiques ou des romans courtois. Ainsi les sénéchaux, prévôts et baillis qui cherchent à prendre la place de leur seigneur. Ainsi les fils révoltés, les frères parjures, les femmes adultères. Ainsi enfin tous ceux qui, dans les récits hagiographiques ou les traditions folkloriques, se livrent à une activité déshonnête ou illicite et qui, ce faisant, trahissent l'ordre social : bourreaux, prostituées, usuriers, changeurs, faux-monnayeurs, jongleurs, bouffons, chirurgiens, auxquels il faut joindre les nombreux forgerons sorciers, meuniers affameurs et bouchers sanguinaires (tel celui de la légende de saint Nicolas) que mettent en scène les contes et les traditions orales.
Certes, dans les milliers d'images que les XIVe et XVe siècles nous ont laissées, tous ces personnages ne sont pas

toujours roux; mais être roux constitue un de leurs caractères iconographiques ou déïctiques les plus remarquables, sinon les plus fréquents. Cela finit même par fonctionner de manière tellement mécanique que cette chevelure rousse s'étend parfois à toutes les catégories d'exclus ou de réprouvés : hérétiques, juifs, musulmans, bohémiens, cagots, lépreux, infirmes, suicidés, mendiants, vagabonds, pauvres et déclassés de toutes espèces. La rousseur dans l'image rejoint ici les marques et les insignes vestimentaires de couleur rouge ou jaune que, dans la réalité, ces mêmes catégories sociales ont dû porter, à certaines époques, en de nombreuses villes ou régions d'Occident. Elle apparaît ainsi comme le signe premier du rejet ou de l'infamie.

[…]

Depuis longtemps, historiens, sociologues, psychologues ont tenté d'expliquer ce rejet des hommes roux dans les traditions occidentales, et même non occidentales. Pour ce faire, ils ont eu recours à différentes hypothèses, y compris les plus contestables et les plus inquiétantes : celles qui sollicitent la biologie et qui présentent la rousseur des poils et de la peau comme un accident de pigmentation lié à une certaine dégénérescence génétique ou ethnique. L'historien et l'anthropologue n'ont évidemment que faire de telles explications, fausses et dangereuses. Pour eux, l'explication est fondamentalement d'ordre symbolique et taxinomique : dans toute société, y compris les sociétés celtes ou scandinaves, le roux, c'est d'abord celui qui n'est pas comme tout le monde, celui qui fait écart, celui qui appartient à une minorité et qui donc dérange, inquiète ou scandalise. Le roux, c'est l'autre, le différent, le réprouvé, l'exclu.

Rouge, Jaune et tacheté

Il s'agit donc d'abord d'un problème de sémiologie sociale : le roux n'est pleinement roux que pour autant qu'il s'oppose au brun ou au blond. Mais il s'agit aussi, surtout dans la culture médiévale, d'une question de symbolique chromatique. Roux est une couleur, une couleur dévalorisée, “la plus laide des couleurs”, va jusqu'à dire un traité des couleurs du XVe siècle, qui voit en elle les aspects négatifs et du rouge et du jaune.

Toutes les couleurs, en effet, peuvent être prises en bonne ou en mauvaise part. Même le rouge n'échappe pas à cette règle, lui qui, en Occident, de la protohistoire jusqu'au XIXe siècle, a si longtemps représenté la première des couleurs, la couleur “par excellence”. Il y a un bon et un mauvais rouge, comme il y a un bon et un mauvais noir, un bon et un mauvais vert, etc. Au Moyen Age, ce mauvais rouge est le contraire du blanc et renvoie directement au diable et à l'enfer. C'est la couleur du feu infernal et du visage de Satan. A partir du XIIe siècle, l'iconographie, qui jusque-là donnait au prince des ténèbres un corps et une tête de n'importe quelle couleur, généralement sombre, le dote de plus en plus souvent d'un faciès rouge et d'une pilosité rougeoyante. Par extension, toutes les créatures à tête ou à poils rouges sont considérées comme plus ou moins diaboliques (à commencer par le renard, qui est l'image même du “Malin ”), et tous ceux qui s'emblématisent dans cette couleur ont à voir avec le monde de l'enfer. Ainsi, dans les romans arthuriens, les nombreux *chevaliers vermeils* (c'est-à-dire ceux dont l'équipement et les armoiries sont de couleur rouge) qui se dressent sur le chemin du héros pour le défier ou pour le tuer, sont toujours des

chevaliers diaboliques venus d'un autre monde. Le plus célèbre d'entre eux est Méléagant, fils de roi mais chevalier félon qui, dans le roman de Chrétien de Troyes le *Chevalier de la Charrette*, enlève la reine Guenièvre.
Anthroponymie et toponymie confirment ce caractère péjoratif de la couleur rouge. Les noms de lieux dans la formation desquels entre le mot "rouge" désignent souvent des endroits réputés dangereux, spécialement dans la toponymie littéraire ou imaginaire. Quant aux surnoms "le Rouge" ou "le Roux", ils sont innombrables et presque toujours dévalorisants : soit ils indiquent une chevelure rousse ou une face rougeaude; soit ils reflètent le port d'une marque vestimentaire infamante de cette même couleur (bourreaux, bouchers, prostituées); soit, et cela est très fréquent dans l'anthroponymie littéraire, ils soulignent le caractère sanglant ou cruel de celui qui en est affublé.
A bien des égards, ce mauvais rouge est donc, pour la sensibilité médiévale, celui de Judas, homme roux et apôtre félon, à cause de qui le sang du Christ a été versé. En Allemagne, à la fin du Moyen Age, circule un jeu de mots etymologique qui fait dériver *Iskariot* de *ist gar rot*, c'est-à-dire l'homme "qui est tout rouge".
Mais Judas n'est pas seulement rouge; il est aussi jaune, couleur du vêtement que lui donnent de plus en plus souvent les images à partir du milieu du XIIIe siècle. Car être roux, c'est participer à la fois du rouge sanguinaire et infernal et du jaune félon et mensonger.
[…]
Toutefois, si tous les jaunes sont mauvais, le jaune roux semble bien représenter la pire nuance du jaune, parce qu'il tire celui-ci du côté du sombre et du dense, du côté des ténèbres et de l'opacité de l'enfer. Sans le roux, il n'aurait ni jaune sombre ni jaune saturé avant d'entrer dans la gamme — pauvre à l'époque médiévale — des bruns. Le roux est ainsi un or négatif.
Mais être roux ce n'est pas seulement réunir sur sa personne les aspects négatifs du rouge et du jaune. Etre roux, c'est aussi avoir la peau semée de taches de rousseur, c'est être tacheté, donc impur, et participer d'une certaine animalité. La sensibilité médiévale a horreur de ce qui est tacheté. Pour elle, le beau c'est le pur, et le pur c'est l'uni; le rayé est toujours plus ou moins dévalorisant (de même que sa forme superlative : le damier); et le tacheté, nettement dégradant. Au reste, rien d'étonnant à cela dans un monde où les maladies de peau sont fréquentes, graves et redoutées, et où la lèpre — qui en représente la forme extrême — met ceux qui en sont atteints au ban de la société. Pour l'homme médiéval, les taches sont toujours impures et avilissantes. Elles font du roux un être malade, malsain, presque tabou. Et à cette impureté conspécifique s'ajoute une connotation d'animalité. Car non seulement le roux a le poil de l'hypocrite goupil ou du lubrique écureuil, mais il est aussi recouvert de taches comme les animaux les plus cruels : le tigre, le dragon et le léopard, ces trois ennemis du lion. Non seulement il est faux et vicieux, mais il est aussi féroce et sanglant. D'où la réputation d'ogre qui est parfois la sienne dans le folklore et dans la littérature orale jusqu'en plein XVIIIe siècle.

Michel Pastoureau,
«Tous les gauchers sont roux»
in *La Trahison*
Revue *Le Genre Humain*, Le Seuil 1988,

BIBLIOGRAPHIE

Cette liste est subjective et indicative.
Une bibliographie exhaustive sur un tel sujet reste à faire !

- Chevalier, Jean et Gherbrant, Alain, *Dictionnaire des symboles,* collection Bouquins, Paris. Robert Laffont (Bouquins), 1989.
- Collectif, *La Trahison,* textes édités par la revue *Le Genre Humain*, Le Seuil 1988.
-Collin de Plancy, J., *Dictionnaire Infernal. Répertoire universel,* Henri Plon, 1863.
- Kolopp, Maryelle, *Les Roux : mythes et réalités,* thèse présentée pour le doctorat en Médecine, unité Louis-Pasteur, Faculté de Médecine de Strasbourg, 1983.
- Lanzmann, Jacques, *Le Têtard,* Laffont, 1976.
- Mozzani, Eloïse, *Dictionnaire des superstitions,* collection Bouquins, Robert Laffont, 1995.
- Pastoureau, Michel, «Tous les gauchers sont roux», in *La Trahison,* Revue Le Genre humain, Le Seuil, 1988.
- Portal, Frédéric, *Des couleurs symboliques dans l'Antiquité, le Moyen Age et les Temps modernes,* Paris, 1837.
- Rykiel, Sonia, *Et je la voudrais nue,* Grasset, 1979.
- Sunshine, Linda (textes recueillis par), *Le Petit Woody,* Plon, 1995.
- Villeneuve, Roland, *Dictionnaire du Diable,* P. Bordas et fils, 1989.

TABLE DES ILLUSTRATIONS

COUVERTURE

1er plat *Portrait de Rosine Fels* , Moïse Kisling, peinture, 1938. Collection particulière.
2e plat Histoire de Marthe Richard, espionne au service de la France. Couverture d'un illustré.

OUVERTURE

1 Fillette rousse irlandaise.
2 *Enfant avec un dessin*, Giovanni Francesco Caroto, huile sur bois. Museo di Castelvecchio, Verone.
3 Jeune irlandais de l'île d'Achill.
4 Jeune femme rousse irlandaise.
5 *La Demoiselle bénie*, D.G. Rossetti, peinture, 1875/79. Lady Lever Art Gallery, Port Sunlight.
6 *Portrait d'un homme barbu avec béret* , Willem Key, huile sur bois, 1550. Kunsthistorisches Museum, Vienne
7 Pêcheur roux irlandais.
9 *Portrait de Jo, la belle irlandaise*, Gustave Courbet, peinture, 1865. Stiftung und Sammlung Weinberg, Suisse.

CHAPITRE 1

10 *Ephelide lentiforme*, Carl Heitzmann, aquarelle, 1870. Institut pour l'histoire de la médecine, Vienne.
11 Des triplés roux.
12 Mèches extraites du nuancier «Coloration crème de beauté Majirel, Majiblond, Majirouge» de L'Oréal. L'Oréal, Paris.
12-13 Définition de l'adjectif «roux, rousse», in *Dictionnaire universel* de Trévoux, 1771.
13b *Famille irlandaise*, Eve Arnold, photographie.
14h Coupe longitudinale d'un bulbe capillaire sur laquelle les mélanocytes apparaissent en noir, sous l'œil d'un microscope optique.
14b Trois femmes en tenue de soirée, photographie, 1940
14-15h Coupes transversales de cheveux châtains, blonds et bruns, sous l'oeil d'un microscope optique. L'Oréal Recherche, Paris.
15b Coupes transversales de cheveux roux riches en pigments rouges de phaeomélanines sous l'oeil d'un microscope optique. L'Oréal Recherche, Paris.
16d Nuancier de couleurs de peaux établi par l'anthropologiste Felix von Luschan (1854-1924). Institut pour l'histoire de la médecine, Vienne.
16b Ephelide lentiforme, in *Description des maladies de la peau,* Alibert, début XIXe siècle. Bibliothèque de l'Ancienne Faculté de médecine, Paris.
17h Publicité pour la crème solaire «Nubruny», 1934. Collection pariculière.
17b Le mannequin Karen Elson présentant un modèle de Chanel, défilé de prêt-à-porter, automne-hiver 1997-1998.
18 *Autoportrait*, Edouard Vuillard, peinture, vers 1890. Collection particulière.
19 Colorants capillaires en poudre utilisés par les laboratoires L'Oréal dans la composition des teintures pour cheveux. L'Oréal, Paris.
20h «Le Trompettiste» par Norman Rockwell

in *The Saturday Evening Post*, 18 novembre 1950. Collection particulière.
20b Scène du film *Dune* de David Lynch, 1984.
20-21 Rita Hayworth, affiche du film *Gilda* de Charles Vidor, 1946.
22g Couverture de *Poil de carotte* de Jules Renard, éditions Flammarion, 1949. Collection particulière.
22-23 Illustration in *Les Deux nigauds* de la comtesse de Ségur, Félix Lorioux, 1931. Collection particulière.
23d Annie Fratellini.
24 *Portrait de Ilse*, Rudolf Wacker, peinture, 1926. Vorarlberger Landesmuseum, Bregenz.
25 *Le Jeune Apprenti*, Amedeo Modigliani, peinture, 1918. Orangerie des Tuileries, Paris.

CHAPITRE II

26 *Metabolismus*, Edvard Munch, peinture, 1899. Munch Museet, Oslo.
27 Illustration pour l'affiche du film *L'Empire de la Passion* de Nagisa Oshima, Roland Topor, 1978. Collection Particulière.
28h *Esaü vendant son droit d'aînesse*, école de Jacopo Bassano, Musée des Beaux-Arts, Tours.
28b Le Deuxième Sceau ouvert avec le cavalier, symbole de la guerre, in *Apocalypse figurée*, Ecole du Nord, enluminure, XIIIe siècle. Bibliothèque municipale, Cambrai.
29 *Visite du roi Christian du Danemark à Malpaga en 1474*, (détail) fresque de Girolamo Romani Romanino, XVe siècle. Château de Malpaga.
30b Couverture d'un numéro de *Lecture pour tous*, novembre 1928.
30-31 *Oedipe et le Sphinx*, François Ehrmann, peinture. Musée d'Art moderne et contemporain, Strasbourg.
32 *Le Jugement dernier* (détail), Hans Memling, peinture, 1471-1473. Museum Pomorskie, Dantzig.
33 Le roi Childéric fait brûler vives des sorcières, in *Chroniques de France*, enluminure, 1492.
34g *La Sorcière*, Gustav Klimt, lithographie, 1898. Bibliothèque des Arts décoratifs, Paris.
34-35 Le mannequin Karen Elson présentant un modèle de Chanel, défilé Haute-Couture, automne-hiver 1997-1998.
35 *La Rentrée du soir*, Théophile-Alexandre Steinlen, peinture, 1897. Musée d'Art et d'Histoire, Genève.
36-37 «La Cène», prédelle du retable de la *Déploration du Christ*, Joos Van Cleve, peinture, XVIe siècle. Musée du Louvre, Paris.
36b Décollation de saint Jean-Baptiste et présentation de sa tête par Salomé au banquet d'Hérode, détail du *Retable de saint Jean-Baptiste*, Bernardo Martorelli, peinture, XVe siècle. Museo Diocesano, Barcelone.
37 *La Montée au calvaire*, James Ensor, peinture, 1924. Collection Phillips Fine Art Auctioneers, Londres.
38 «Notre-Dame de Paris» d'après Victor Hugo, couverture du n° 19 de *Mondial Aventures*. Collection particulière.
38-39 *Femmes dans une maison close*, Toulouse-Lautrec, 1895. Ungarische Nationalgalerie, Budapest.
39 b *Yvette Guilbert*, caricature, lithographie. Coll.part.
40g-41d *Sainte Marie-Madeleine*, Gregor Erhart, bois de tilleul polychrome, début du XVIe siècle. Musée du Louvre, Paris.
40d «Bal musette», Théophile-Alexandre Steinlen, lithographie.
41g *A Montrouge - Rosa la Rouge*, Henri de Toulouse-Lautrec, peinture, 1886-1887. The Barnes Collection, Merion.
42 Les trois péchés : La Débauche, la Luxure et l'Intempérance, détail de la *Frise de Beethoven*, Gustav Klimt, caséine sur stuc incrusté de pierreries, 1902. Osterreichische Galerie, Vienne.
43 *Danae*, Gustav Klimt, peinture, vers 1907-1908. Collection particulière, Graz.

CHAPITRE III

44 *Jeune Vénitienne*, Albrecht Dürer, huile sur panneau, 1505. Kunsthistorisches Museum, Vienne
45 Jeune femme rousse
46 *L'Arrestation*, Aldelchi-Riccardo Mantovani, peinture sur panneau, 1981. Collection particulière.
46d Renart et le loup Ysengrin au fond du puits, in *Roman de Renart*, enluminure, XIVe siècle. Bibliothèque nationale de France, Paris.
47 *David vainqueur de Goliath*, Onorio Marinari, peinture, XVIIe siècle. Pinacoteca Nazionale di Palazzo Mansi, Lucques.
48 *La Vierge à l'Enfant*, Lucas Cranach, dit l'Ancien, peinture, XVIe siècle. Alte Pinakothek, Munich.
49g Femme et son enfant roux dans la lumière du soleil, photographie, 1990.
49d *La Jeune fille au Saint Graal*, Dante Gabriel Rossetti, peinture, 1857. Tate Gallery, Londres.
50 *Naissance de Vénus*, Sandro Botticelli, peinture, vers 1484, Galerie des Offices, Florence.
51h 12 Une page du nuancier «Coloration crème de beauté Majirel, Majiblond,

Majirouge» de L'Oréal.
51b Femme se teignant les cheveux, photographie. *Marie Claire Magazine*, Issy-les Moulineaux.
52 Teinture à la vénitienne, in *Codice Bottacin*, Museo Bottacin, Padoue.
52b Boîtes de Henné.
53 h Teinture des mains avec du henné au Maroc.
53b Mains peintes au henné au Maroc
54 Pakistanais à la barbe et aux cheveux teints au henné
55 Tunisienne aux cheveux teints au henné.
56h *Jeune Omahaw, aigle de guerre, petit Missouri et Pawnees*, Charles Bird King, huile sur toile, 1821. National Museum of American Art, Washington.
56b Punks en Angleterre.
57h Publicité pour l'Irlande. Office du tourisme irlandais, Paris.
57b David Bowie dans le personnage de*Ziggie Stardust.*
58 Publicité L'Oréal, affiche de Raul Vion, 1910.
59 «Why shouldn't I love you» de S. Hamy, partition illustrée par Magritte.
60 Photographie tirée du film *An Angel at my Table* de Jane Campion, 1990.
61 U.Thurman et A. Schwarzenegger, photographie du film *Batman and Robin* de Joël Schumacher, 1997.
62h Yvette Horner en tenue signée Jean-Paul Gaultier pour les fêtes du bicentenaire de la Révolution française.
62b Sybil Buck, mannequin pour Chantal Thomas, 1996.
63 Photographie tirée du film *Qui a peur de Roger Rabitt?*
64 Héroïne de Tex Avery.

TÉMOIGNAGES ET DOCUMENTS

65 Portrait d'une jeune islandaise.
68 Un cheveu de Ramsès II observé au microscope dans les laboratoires de L'Oréal Recherche.
69 Momie de Ramsès II, pharaon d'Egypte.
70 Esaü vend son droit d'aînesse à son frère pour un plat de lentilles. Illustration d'une Histoire sainte du XVIIe siècle.
71 David raillé par sa femme pour avoir dansé devant l'Arche d'alliance. Chantilly Musée Condé.
74 Cadet Roussel, image d'Epinal, milieu XIXe siècle.
75 Quasimodo, gravure, XIXe siècle
76 Couverture de *A prendre ou à lécher*, San Antonio, Ed. Fleuve noir.
78 *Le Monde de Woody Allen raconté par Woody Allen*, Ed. Blimon & Soch's
80 Cyrano de Bergerac, affiche de théâtre
83 Aristide Bruand, chansonnier français,
84 Affiche de C. Lévy pour *Fleur de pavé, grand roman de pitié et d'amour*, par Aristide Bruant, illustration du *Petit Parisien*, détail.
86 «Le Baiser de Judas», lithographie de James Tissot.

INDEX

A

Afars (Afrique) 14.
Ajalbert, Jean 41.
Alberti, L. B. 48.
Allen, Woody 15.
Amazonie, Indiens d' 56.
Amérique du Nord 18.
An Angel at my table (Jane Campion) *57.*
Antoine Roquentin 23.
Apocalypse de saint Jean *28,* 29.
Apollinaire, Guillaume 20, 45.
Apollon 16.
Attila 21.
A la princesse Roukhine (Paul Verlaine) 41.
Aristochats, Les (Walt Disney) 62.
Autoportrait octogonal (Vuillard) *18.*
Avery, Tex 62, *63.*
A une mendiante rousse (Charles Baudelaire) 41.

B

Barrès, Maurice 49.
Bataks (Sumatra) 33.
Batman et Robin (film) *57.*
Baudelaire, Charles 41.
Bazin, Hervé 16.
Bernhardt, Sarah *22.*
Bibi Fricotin 62.
Botticelli, Sandro 50, *50,* 51.
Bowie, David 57, *57.*
Brehm, A. E. *46.*
Bruant, Aristide 37, *41.*

C

Cabinet de toilette, Le (la baronne Staffe) *16.*
Caïn 35.
Campion, Jane *57.*
Carpaccio 52.
César 16.
Césarini, docteur 63.
Chinois 18.
Christ 47, *49.*
Christ roux*37,* 48.
Chtonos 20.
Cimbres et Teutons, gladiateurs 21.
Claudine à l'école (Colette) 38.
Cohn-Bendit, Daniel 14.
Colette 38.
Coppée, François 49.
Cromwell, Oliver 21.
Cronin 20.
Custer, Général 21.
Cyrano de Bergerac 49.

D

Danaé (l'amour de l'or) (Gustav Klimt) *40.*
Danaïdes 30.
Dante Alighieri 48.
David 47, *47,* 62.
Delphes 16.
Des marques de sorciers et de la réelle possession que le diable prend sur le corps des hommes (Jacques Fontaine) 33.
Dictionnaire infernal *29.*

Dictionnaire universel (Antoine de Furetière) 12, 36.
Disney, Walt 62.
Divine comédie, La (Dante Alighieri) 48.
Droopy 62.
Duguesclin 21.
Dune (film) 20.

E

Ecosse 13.
Edouard VII *39.*
Eglise 16, 19.
Egypte 28, 33.
Ehrmann, François Emile *31.*
Eisenberg, Josy 30.
Empire de la passion, L' (Roland Topor) *27.*
Ensor, James *37.*
Erik le Rouge 14.
Esaü 13, 28, *28,* 29, 35, 47, *47.*
Esméralda 38, *38.*
Et je la voudrais nue (Sonia Rykiel) *35.*
Eugénie, impératrice 51.

F

Fontaine, Jacques 33.
Francfort 52.
Fratellini, Annie *23.*
Frédéric Ier de «Barberousse» 14.
Furetière, Antoine de 12, 36.

G

Gaulois 18.
Gautier, Jean-Paul *62.*
Genèse 29.
Geste des Narbonnais 30.
Gilda, bombe *21.*
Giono,Jean 49.
Goliath 47.
Grèce antique 16.
Green, Julien 11.
Groddeck, Georg 34.
Guilbert, Yvette *39.*
Guillaume le Conquérant 21.

H

Harz, massif de 15.
Hayworth, Rita *21.*
Henné 53, *53,* 56.
Henri IV 21.
Hérode *36.*
Histoire des perruques (abbé Thiers) 36.
Horner, Yvette *62.*
Hugo, Victor 38, 39
Huns 15.

I

Inquisition 33, 34.
Irlande 12, *13.*
Isaac 29.
Isis et Osiris 28.

J

Jacob 29.
Jean de Florette 23.
Jean-Baptiste, saint 36, *36.*
Jérusalem 47.
Jeune fille au Saint Graal (Rossetti) *49.*
Jolie Rousse, La (Guillaume Apollinaire) 45.
Journal (Jules Renard) *22.*
Judas Iscariot 36, *37.*
Judith 30.
Juifs 18.
Julie la Rousse 14, 40.

K

Klimt, Gustav *40.*
Kolopp, Maryelle 13, 30.

L

Langaney, André 14.
Lanzmann, Jacques 22.
Latran, concile de 18.
Laurent le Magnifique 50.
Lettres aux Hébreux et aux Romains de l'apôtre Paul 29.
Livre de Zacharie 30.
L'Oréal, laboratoires *13.*

M

Mahomet 18, 53, 56.
Maison Tellier, La (Guy de Maupassant) 40.
Mardi-Gras 33.
Marie-Madeleine *40.*
Marie de Béthanie *40.*
Marie de Magdala *40.*
Mars, dieu 19, 30.
Matisse, Henri 22.
Maugham, Somerset 23.
Maupassant, Guy de 40, *45.*
Méphistophélès 19.
Metabolismus (Edvard Munch) *27.*
Modigliani, Franco 22.
Moïra (Julien Green) *11.*
Moïse *29.*
Mongols 15.
Mortimer 62.
Moyen Age 33.
Munch, Edvard *27.*
Murger, Henri 36.

N

Naissance de Vénus (Sandro Boticelli) 50, *50.*
Nana (Emile Zola) 40.
Nausée, La (Jean-Paul Sartre) 23.
Nini-Peau-d'Chien 37, 40.
Notre cœur (Guy de Maupassant) *45.*
Notre-Dame de Paris (Victor Hugo) 38.
Nouveau Testament *37,* 47.

O

Obélix le Gaulois 21, 62.
Océanie 56.
Œdipe et le Sphinx *31.*
Osiris 28, 33.

P

Pakistan *53.*
Pâques 33.
Petite sirène, La (Walt Disney) 62.
Phaeomélanines 14, *15,* 16.
Plutarque 28, 29.
Poil de Carotte 23.
Préraphaélites, peintres 20, 48, *49.*
Prudhomme, Sully 50.
Punks 57, *57.*
Pyrrhiques, danses 12.
Pyrrhus 21.

Q

Quasimodo 38, *38,* 39.
Qui a peur de Roger Rabbit? (Steven Spielberg) *63.*

R

Red Rider 62.
Réginald Fox 62.
Renaissance italienne 48, *52.*
Renard, Jules *22.*
Renart, seigneur de Maupertuis 46, 47, 62.
Richard Cœur de Lion 21.
Robespierre 21.
Robin des Bois (Walt Disney) 62.
Rocambole 62.
Rockwell, Norman 20, *20.*
Roger Martin du Gard 38.
Roland de Roncevaux 21.
Roman de Renart 46.
Rome antique 19, 33, 52.
Rosa la Rouge (Carmen Gaudin) 14, 40, *40, 41.*
Rossetti, Dante Gabriele *49.*
Roukhine, princesse 14.
Rousse, La (Jean Ajalbert) 41.
Les Roux : mythes et réalités (Maryelle Kolopp) 13, 30.
Rykiel, Sonia 22, *35.*

ROUX, OUSSE. adj. Qui est de couleur entre le jaune et le rouge. *Poil roux. Cheveux roux. Barbe rousse.*

Les bêtes fauves sont aussi appelées *Bêtes rousses.*

On dit proverbialement, *Barbe rousse et noirs cheveux, ne t'y fie si tu ne veux*, pour dire, qu'Il faut se défier de ceux qui ont les cheveux noirs et la barbe rousse.

On dit qu'*Un homme est roux*, qu'*une femme est rousse*, pour dire, qu'Un homme, qu'une femme est de poil roux.

On appelle *Beurre roux*, Du beurre fondu à la poêle, de telle sorte qu'il devient roux. *Des œufs au beurre roux.*

Les Jardiniers appellent Vents-roux, Des vents d'Avril froids et secs, qui font tort aux arbres fruitiers. Voilà sans doute pourquoi on appelle la Lune d'Avril, *La Lune rousse.*

ROUX, est aussi substantif, et signifie, Couleur rousse. *Il est d'un roux ardent, d'un vilain roux, d'un roux désagréable.*

S

Saint-Jean, fête de la 33.
Saint Louis 39.
Salomé 36, *36.*
Samson et Dalila 16.
Samuel, prophète 47.
Sartre, Jean-Paul 23.
Satan33.
Scènes de la vie de Bohême (Henri Murger) 36.
Schiele, Egon 22.
Arnold 57.
Seth Typhon 28, 29, 35.
Spielberg, Steven *63.*
Spirou 62.

T

Thiers, abbé 36.
Thomas, Chantal *62.*
Tintin 62.
Titien 52.
Topor, Roland *27.*
Toulouse-Lautrec, Henri de 14, *40.*
Traité d'Isis et d'Osiris (Plutarque) 28.
Trois Péchés : la débauche, la luxure et l'intempérance, Les (Gustav Klimt) *40.*
Trompettiste, Le (Norman Rockwell) *20.*
Tuckson 62.
Tunisie *53.*
Twain, Mark 12.

V

Van Gogh, Théo 23.
Van Gogh Vincent 22, 23.
Vénitien, blond 50, 52, *52,* 53.
Verhaeren, Emile 50.
Verlaine, Paul 14, 41.
Véronèse 52.
Vierge rousse 48, *48.*
Vivaldi, Antonio 13.
Vuillard, Edouard *18.*

W - Y - Z

Welles, Orson *21.*
Ysengrin, loup 47.
Ziggy Stardust 57.
Zola, Emile 40.

CRÉDITS PHOTOGRAPHIQUES

ADAGP 1997 18, 22/23, 26, 27, 37. AKG, Paris 1er plat de couverture, 5, 6, 9, 14b, 18, 20h, 20-21, 24, 26, 33, 35, 38-39, 41g, 42, 43, 44, 46, 49d, 56h. Alinari-Giraudon 47. Bibliothèque nationale de France de France, Paris 46b. Bulloz, Paris 28h, 50. Christophe L. , Paris 60. Collège de France, Paris 69. Diaf, Paris 54h. Diaf/Erwan Quemere 3, 7. DR 39b, 40d, 45, 52, 52b, 65, 75, 86. Edimedia, Paris 37. Explorer 55. Explorer/Ian Berry 56b. Explorer/A.Evrard 54bg. Explorer/Z.Szabo 54bd. Giraudon, Paris 28b, 36b, 48, 59. Imapress, Paris 56b. Imapress/Camera Press/Richard Imrie 57b. Insitut de l'histoire de la Medecine, Vienne 10, 16d. Jean-Loup Charmet 16b, 34g, 74. Kharbine-Tapabor, Paris 2e plat de couverture 17h, 22/23, 30b, 38. Kipa/P.Baril 23d, 63. Kipa/Sunset, Paris 64. L'Oréal 12, 51h. L'Oréal Recherche, Paris 12, 14h, 14 15h, 15b, 19, 58, 68. Magnum/Bruno Barbey 53h, 53b. Magnum/Erich Lessing 29. Magnum/Eve Arnold 13b. Magnum/G.Pinkhassov 49g. Marie-Claire, Issy les Moulineaux 51b. Musées de Strasbourg 30/31. Petit Format/Frans Rombout 11. Rapho/Nutan 1, 4. Réunion des Musées Nationaux, Paris 25, 36 37, 40g, 40d. Roger-Viollet, Paris 70, 71, 83. Scala 2. Sipa/Icono 32. Stills, Paris 61. Stills/Pat/Arnal, Paris 62b. Sygma/ Nancy Moran 20b. Sygma/J.Donoso 62h. Sygma/Pierre Vauthey 34/35. Sygma/Thierry Orban, Paris 17b.

REMERCIEMENTS

L'auteur remercie tout particulièrement la flamboyante Nathalie Palma, qui a toutes les raisons d'avoir un regard bienveillant sur le sujet, et Laure Massin qui sut traduire en images sa complexité.
L'éditeur remercie la société L'Oréal pour son aide dans l'illustration de ce livre.

ÉDITION ET FABRICATION

DÉCOUVERTES GALLIMARD
DIRECTION Pierre Marchand et Elisabeth de Farcy.
DIRECTION DE LA RÉDACTION Paule du Bouchet. GRAPHISME Alain Gouessant.
FABRICATION Claude Cinquin. PROMOTION & PRESSE Valérie Tolstoï.

ROUX ET ROUSSES, UN ÉCLAT TRES PARTICULIER
EDITION Nathalie Palma. MAQUETTE Laure Massin (Corpus), Jacques Le Scanff (Témoignages et Documents). ICONOGRAPHIE Maryse Hubert. LECTURE-CORRECTION Catherine Levine.
PHOTOGRAVURE Compo Gallieni (Corpus), Arc-en-ciel (Témoignages et Documents).

Table des matières

I LA SINGULARITÉ DES ROUX

12 Le monde de la rousseur
14 Eumélanines et phaeomélanines
16 Charmes et désagréments des éphélides
18 Les ambiguïtés de la couleur
20 Bons roux et mauvais roux
22 Une marginalité qui s'affiche
24 Un certain malaise

II L'OPPROBRE

28 Les origines de l'ostracisme
30 Fureur et cruauté
32 Les flammes de l'enfer
34 La séduction du diable
36 Le traître Judas et le Christ humilié
38 Une laideur morale et physique
40 Le commerce des sens
42 Pécheresses et victimes

III LA GLOIRE

46 Heureux et aimés
48 Saintes et rousses
50 Mixtures et teintures
52 La plante du paradis
54 Masculin, féminin
56 Indiens d'hier et d'aujourd'hui
58 A l'affiche
60 Angéliques et démoniaques
62 La vie en roux

III TÉMOIGNAGES ET DOCUMENTS

66 Les roux et la science
68 Ramsès II était roux
70 L'ambivalence des roux
72 La réputation des rousses
74 Le syndrome du vilain petit canard
80 Les muses rousses
86 Judas, l'homme «tout rouge»
90 Table d'illustrations
92 Index